明萬曆朝鮮内醫院活字本《素問》（下）

主　編◎錢超塵
副主編◎王育林　劉　陽

北京科学技术出版社

《黄帝内經》版本通鑒·第一輯

明萬曆朝鮮内醫院活字本《素問》（下）

黃帝素問 十一

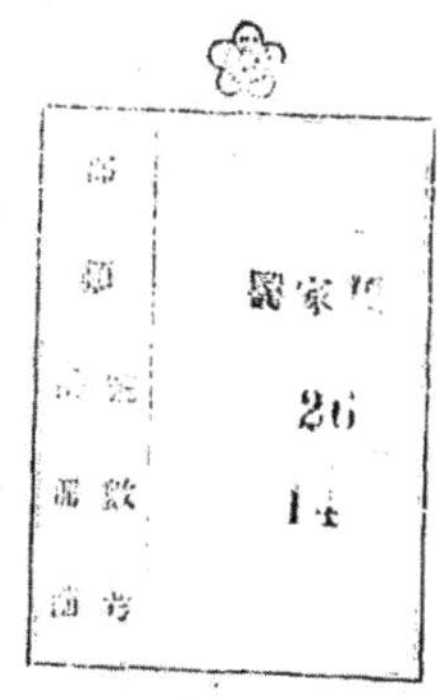

新刊補註釋文黃帝內經素問卷之十下

○氣交變大論篇第六十九

新校正云詳此論專明氣交之變乃五運大過不及德化政令災變勝復爲病之事

黃帝問曰五運更治上應天朞陰陽往復寒暑迎隨眞邪相薄內外分離六經波蕩五氣傾移大過不及專勝兼并願言其始而有常名可得聞乎

朞三百六十五日四分日之一也專勝謂五運主歲大過也兼并謂主歲之不及也常名謂布化於大虛人身參應病之形診也○新校正云按天元紀大論云五運相襲而皆治之終朞之日周而復始又云五氣運行各終朞日太始天元冊文曰萬物資始五運終天

岐伯稽首再拜對曰昭乎哉問也是明道也此即五運更治上應天朞之義也上帝所貴先師傳之臣雖不敏往聞其旨言非己心之生知備聞先人往古受傳之遺旨也帝曰余聞得其人不教是謂失道傳非其人慢泄天寶余誠菲德未足以受至道然而衆子哀其不終願夫子保於無窮流於無極余司其事則而行之奈何至道者非傳之難非知之艱行之艱聖人愍念蒼生同居永壽故屈身降志請受於天師太上貴德故後己先人苟非其人則道無虛授黃帝欲仁慈惠遠博愛流行尊道下身極

乎黎庶乃曰余司其事則而行之也

岐伯曰請遂言之也上經曰夫道者上知天文下知地理中知人事可以長久此之謂也

夫道者大無不包細無不入故天文地理人事咸通○新校正云詳夫道者一節與著至教論文重

帝曰何謂也岐伯曰本氣位也位天者天文也位地者地理也通於人氣之變化者人事也故太過者先天不及者後天所謂治化而人應之也

三陰三陽司天司地以表定陰陽生化之紀是謂位天位地也五運居中司人氣之變化

故曰通於人氣也先天後天謂生化氣之變化所主時也大過歲化先時至不及歲化後時至

帝曰五運之化大過何如大過謂歲氣有餘也○新校正云詳大過五化具五常政大論中

岐伯曰歲木大過風氣流行脾土受邪木餘故土氣卑屈民病飧泄食減體重煩冤腸鳴腹支滿上應歲星飧泄謂食不化而下出也脾虛故食減體重煩冤腸鳴腹支滿也歲木氣大盛歲星光明逆守星屬分皆災也○新校正云按藏氣法時論云脾虛則腹滿腸鳴飧泄食不化

甚則忽忽善怒眩冒巔疾淩犯大甚則遇於金故自病○新校正云按王機眞藏論云肝脉大過則令人善怒忽忽眩冒巔疾爲肝實而然則此病不獨木大過遇金自病肝實亦自病也化氣不政生氣獨治雲物飛動草木不寧甚而摇落反脇痛而吐甚衝陽絶者死不治上應太白星諸陽歲也木餘土抑故不能布政於萬物也生氣木氣也大過故獨治而生化也風不務德非分而動則大虛之中雲物飛動草木不寧動而不止金則勝之故甚則草木揺落也脇反痛木乗土也衝陽胃脉也木氣勝而土氣乃絶故死也金復而大白逆守屬星者危也其災之發害於東方人之内應則先害於脾後復肝也書曰滿招損此其類也○新校

正云詳此大過三化言星之例有三木與土運先言歲鎮後言勝己之星火與金運先言熒惑太白次言勝己之星後再言熒惑太白水運先言辰星次言鎮星後再言辰星兼見己勝之星也

歲火大過炎暑流行金肺受邪火不以德則邪害於金若以德行則政和平也民病瘧少氣欬喘血溢血泄注下嗌燥耳聾中熱肩背熱上應熒惑星少氣謂氣少不足以息也血泄謂泄利便血也血溢謂血上出於七竅也注下謂水利也中熱謂胷心中也背者胷中之府肩接近之故胷心中及肩背熱也火氣大盛則熒惑光芒逆臨宿屬分皆災也○新校正云詳火盛而剋金寒熱交爭故爲瘧按藏氣法時論云

膺

肺病者欬喘肺虛者少氣不能報息耳聾嗌乾

甚則胷中痛脇支滿脇痛膺背肩胛間痛兩臂内痛

新校正云按藏氣法時論云心病者胷中痛脇支滿脇下痛膺背肩胛間痛兩臂内痛

身熱骨痛而爲浸淫

火無德令縱熱害金水爲復讎故火自病○新校正云按王機真藏論云心脉大過則令人身熱而膚痛爲浸淫此云骨痛者誤也

收氣不行長氣獨明雨冰霜寒

今詳水字當作冰

上應辰星

金氣退避火氣獨行水氣折之故雨零冰雹及偏降霜寒而殺物也水復於火天象應之辰星逆凌及寒災於物也占辰星者常在日之前後三十度其災發之當至南方在人之應則內先傷肺後反傷心○新校正云按五常政大論雨水霜寒作雨氷霜雹

上臨少陰少陽火燔焫水泉涸物焦槁

新校正云按五常政大論云赫曦之紀上徵而收氣後又六元正紀大論云戊子戊午大徵上臨少陰戊寅戊申大徵上臨少陽臨者大過不及皆曰天符

病反譫妄狂越欬喘息鳴下甚血溢泄不已太淵絶者死不治上應熒惑星

諸戊歲也戊午戊子歲少陰上臨戊寅戊申歲少陽上臨是謂天符之歲也大淵肺脈也火勝而金絶故死火既大過又火熱上臨兩火相合故形斯候熒惑逆犯宿屬皆危○新

校正云詳戊辰戊戌戊歲歲上見太陽是謂天刑運故當盛而不得盛則火化減半非大過又非不及也

歲土太過雨濕流行腎水受邪

土無德乃爾

民病腹痛清厥意不樂體重煩冤上應鎮星

腹痛謂大腹小腹痛也清厥謂足逆冷也意不樂如有隱憂也土來刑水天象應之鎮星逆犯宿屬則災〇新校正云按藏氣法時論云腎病者身重腎虛者大腹小腹痛清厥意不樂

甚則肌肉萎足萎不收行善瘈脚下痛飲發中滿食減四支不舉

脾主肌肉外應四支又其脉起於足中指之端循核骨內側斜出絡髀故病如是○新校正云按藏氣法時論云脾病者身重善肌肉萎足不收行善瘈脚下痛又王機眞藏論云脾大過則令人四支不舉

變生得位

新校正云詳大過五化獨此言變生得位者舉一而四氣可知也又以土王時月難知故此詳言之也

藏氣伏化氣獨治之泉涌河衍涸澤生魚風雨大至土崩潰鱗見于陸病腹滿溏泄腸鳴反下甚而大谿絕者死不治上應歲星

諸甲歲也得位謂季月也藏水氣也化土氣也土化大過故水藏伏匿而化氣獨治土勝

木復故風雨大至水泉涌河渠溢乾澤生魚濕既甚矣風又鼓之故土崩潰土崩潰謂垣頹岸仆山落地入也河溢泉涌枯澤水滋鱗物豐盛故見于陸也大谿腎脉也土勝而水絕故死木來折土天象逆臨加其宿屬正可憂也○新校正云按藏氣法時論云脾虛則腹滿腸鳴飧泄食不化

歲金太過燥氣流行肝木受邪金暴虐乃爾民病兩脇下少腹痛目赤痛眥瘍耳無所聞兩脇謂兩乳下脇之下也少腹謂臍下兩傍髎骨內也目赤謂白睛色赤也痛謂眥痛也眥謂四際瞼睫之本也瞼音檢

肅殺而甚則體重煩冤胷痛引背兩脇滿且痛

引少腹上應太白星

金氣已過肅殺又甚木氣內畏感而病生金盛應天太白明大加臨宿屬必受災害○新校正云按藏氣法時論云肝病者兩脇下痛引少腹肝虛則目䀮䀮無所見耳無所聞又玉機真藏論云肝脉不及則令人胷痛引背下則兩脇胠滿

甚則喘欬逆氣肩背痛尻陰股膝髀腨䯒足皆病上應熒惑星

火氣復之自生病也天象示應在熒惑逆加守宿屬則可憂也○新校正云按藏氣法時論云肺病者喘欬逆氣肩背痛汗出尻陰股膝髀腨䯒足皆痛

收氣峻生氣下草木斂蒼乾凋隕病反暴痛胠脇不可反側

新校正云詳此云反暴痛不言何所痛者按至眞要大論云心脇暴痛不可反側則此乃心脇暴痛也

欬逆甚而血溢太衝絶者死不治上應太白星

諸庚歲也金氣峻虐木氣後刑火未來復則如是也歛謂已生枝葉歛附其身也太衝肝脉也金勝而木絶故死當是之候太白應之逆守星屬病皆危也○新校正云按庚子庚午庚寅庚申歲上見少陰少陽司天是謂天刑運金化減半故當盛而不得盛非太過又非不及也

歲水太過寒氣流行邪害心火

水不務德暴虐乃然

民病身熱煩心躁悸陰厥上下中寒譫妄心痛

寒氣早至上應辰星

悖心跳動也譫亂語也妄妄見聞也天氣水盛辰星瑩明如其宿屬災乃至○新校正云按陰厥在後金不及復則陰厥有治

甚則腹大脛腫喘欬寢汗出憎風

新校正云按藏氣法時論云腎病者腹大脛腫喘欬身重寢汗出憎風再詳太過五化木言化氣不政生氣獨治火言收氣不行長氣獨明土言藏氣伏長氣獨治金言收氣峻生氣下水當言藏氣乃盛長氣失政今獨亡者闕文也

大雨至埃霧朦鬱上應鎮星

水盛不已為土所乘故彰斯候埃霧朦鬱土之氣腎之脉從足下上行入腹從腎上貫肝鬲入肺中循喉嚨故生是病腎為陰故寢則汗出而憎風也卧寢汗出即其病也夫土氣

勝折水之強故鎮
星明盛昭其應也

上臨大陽雨冰雪霜不時降濕氣變物

新校正云按五常政大論云流衍之紀上羽
而長氣不化又六元正紀大論云丙辰丙戌

大羽上臨大陽臨者
大過不及皆曰天符

病反腹滿腸鳴溏泄食不化

新校正云按藏氣法時論云脾
虛則腹滿腸鳴飧泄食不化

渴而妄冒神門絕者死不治上應熒惑辰星

諸丙歲也丙辰丙戌歲太陽上臨是謂天符
之歲也寒氣大甚故雨化爲冰雪雨氷則雹
也霜不時降彰其寒也土復其水則大雨霖
霪濕氣內深故物皆濕變神門心脉也水盛
而火絕故死水盛大甚則熒惑減曜辰星明
瑩加以逆守宿屬則危亡也○新校正云詳

大過五化獨記火水之上臨者火臨火水臨水爲天符故也火臨水爲逆水臨木爲順火臨土爲順水臨土爲運勝天火臨金爲天刑運水臨金爲逆更不詳出也又此獨言上應熒惑辰星舉此一例餘從而可知也

帝曰善其不及何如

謂政化少也○新校正云詳不及五化具五常政大論中

岐伯曰悉乎哉問也歲木不及燥迺大行

清冷時至加之薄寒是謂燥氣燥金氣也

生氣失應草木晚榮

後時之謂失應也

肅殺而甚則剛木辟著柔萎蒼乾上應太白星

天音淒滄日晃曦昧謂雨非雨謂晴非晴人意慘然氣象凝斂是爲肅殺甚也剛勁硬也辟著謂辟著枝莖乾而不落也柔耎也蒼青也柔木之葉青色不變而乾卷也木氣不及金氣乘之太白之明光芒而照其空也

民病中清胠脇痛少腹痛腸鳴溏泄涼雨時至上應太白星

新校正云按不及五化民病證中上應之星皆言運星失色畏星加臨宿屬爲災此獨言畏星不言運星者經文闕也當云上應太白星歲星

其穀蒼

金氣乘木肝之病也乘此氣者腸中自鳴而溏泄也即無胠脇少腹之痛疾也微者善之甚者止之遇夏之氣亦自止也遇秋之氣而復有之涼雨時至謂應時而至也金土齊化

故涼雨俱行火氣來復則夏雨少金氣勝木太白臨之加其宿屬分皆災也金勝畢歲火氣不復則蒼色之谷不成實也○新校正云詳中清胠脇痛少腹痛為金乘木肝病之狀腸鳴溏泄乃脾病之證蓋以木少脾土無畏侮反受邪之故也

上臨陽明生氣失政草木再榮化氣迺急上應太白鎮星其主蒼早

諸丁歲也丁卯丁酉歲陽明上臨是謂天刑之歲也金歲承天下勝於木故生氣失政草木再榮生氣失政故木華晚啓金氣抑木故秋夏始榮結實成熟以化氣急速故晚結成就也金氣勝木天應同之故太白之見光芒明盛木氣既少土氣無制故化氣生長急速木少金勝天氣應之故鎮星太白潤而明也蒼色之物又早凋落木少金乘故也○新校正云按不及五化獨紀木上臨陽明土上臨厥陰水上臨太陰不紀木上臨厥陰土上臨

大陰金上臨陽明者經之旨各紀其甚者也故於大過運中只言火臨火水臨水此不及運中只言木臨金土臨木水臨土故不言厥陰臨木太陰臨土陽明臨金也

復則炎暑流火濕性燥柔脆草木焦槁下體再生華實齊化病寒熱瘡瘍疿胗癰痤上應熒惑太白其穀白堅

火氣復金夏生大熱故萬物濕性時變爲燥流火爍物故柔脆草木及蔓延之類皆上乾死而下體再生若辛熱之草死不再生也小熱者死少大熱者死多火大復已土氣間至則涼雨降其酸苦甘鹹性寒之物乃再發生新開之與先結者齊承化而成熟火復其金太白減曜熒惑上應則益光芒加其宿屬則皆災也以火反復故白堅之谷秀而不實

白露早降收殺氣行寒雨害物蟲食甘黃脾土

受邪赤氣後化心氣晚治上勝肺金白氣迺屈其穀不成欬而鼽上應熒惑太白星

陽明上臨金自用事故白露早降寒凉大至則收殺氣行以大陽居土濕之位寒濕相合故寒雨害物少於成實金行伐木假途於土子居母内虫之象也故甘物黄物虫蠹食之清氣先勝熱氣後復復已乃勝故火赤之氣後生化也赤後化謂草木赤華及赤實者皆後時而再榮秀也其五藏則心氣晚王勝於肺心勝於肺則金之白氣乃屈退也金谷稻也鼽鼻中水出也金為火勝大象應同故太白芒減熒惑益明

歲火不及寒迺大行長政不用物榮而下凝慘而甚則陽氣不化迺折榮美上應辰星

火少水勝故寒乃大行長政不用則物容卑下火氣既少水氣洪盛天象出見辰星益明

民病胷中痛脇支滿兩脇痛膺背肩胛間及兩臂內痛新校正云詳此證與火大過甚則反病之狀同旁見藏氣法時論欝冒朦昧心痛暴瘖胷腹大脇下與腰背相引而痛新校正云按藏氣法時論云心虛則胷腹大脇下與腰背相引而痛甚則屈不能伸髖髀如別上應熒惑辰星其穀丹諸癸歲也患以其脉行於是也火氣不行寒氣禁固髖髀如別屈不得伸水行乘火故熒惑芒減丹穀不成辰星臨其宿屬之分則皆災也

併

復則埃鬱大雨且至黑氣迺辱病鶩溏腹滿食飲不下寒中腸鳴泄注腹痛暴攣痿痹足不任身上應鎮星辰星玄穀不成埃鬱雲雨土之用也復寒之氣必以濕濕會内深則生腹疾身重故如是也黑氣水氣也辱屈辱也鶩鴨也土復於水故鎮星明潤臨犯宿屬則民受病災也鶩音木

歲土不及風迺大行化氣不令草木茂榮飄揚而甚秀而不實上應歲星木無德也木氣專行故化氣不令生氣獨擅故草木茂榮飄揚而甚是木不以德土氣薄少故物實不成不實謂粃惡也土不及木乘之故歲星之見潤而明也

民病飧泄霍亂體重腹痛筋骨繇復肌肉瞤酸

善怒藏氣舉事蟄蟲早附咸病寒中上應歲星鎮星其穀黅諸己歲也風客於胃故病如是土氣不及水與齊化故藏氣舉事蟄虫早附於陽氣之所人皆病中寒之疾也繇搖也筋骨搖動已復常則已繇復也土抑不伸若歲星臨宿屬則皆災○新校正云詳此文云筋骨繇復王氏雖註義不可解按至眞要大論云筋骨繇併疑此復字併字之誤

復則收政嚴峻名木蒼凋胷脇暴痛下引少腹善大息蟲食甘黃氣客於脾黅穀迺減民食少失味蒼穀迺損金氣復木故名木蒼凋金入於土毋懷子也故甘物黃物虫食其中金入土中故氣客於

脾金氣大來與土仇復故黅減實穀不成也

上應太白歲星

太白芒盛歲減明也一經少此六字缺文

上臨厥陰流水不冰蟄蟲來見藏氣不用白迺不復上應歲星民迺康

已巳亥歲厥陰上臨其歲少陽在泉火司于地故蟄蟲來見流水不冰也金不得復故歲星之象如常民康不病○新校正云詳木不及上臨陽明水不及上臨大陰俱後言復此先言復而後舉上臨之候者蓋白乃不復嫌於此年有復也

歲金不及炎火迺行生氣迺用長氣專勝庶物以茂燥爍以行上應熒惑星

火不務德而襲金危炎火既流則夏生大熱生氣舉用故庶物蕃茂燥爍氣至物不勝之爍勝之爍石流金涸泉焦草山澤燔燎雨乃不降炎火大盛天象應之熒惑之見而大明也

民病肩背瞀重鼽嚏血便注下收氣迺後上應太白星其穀堅芒

諸乙歲也瞀謂悶也受熱邪故生是病收金氣也火先勝故收氣後火氣勝金金不能盛若熒惑逆守宿屬之分皆受病○新校正云詳其穀堅芒白色可見故不云其穀白也經云上應太白以前後例相照經脫熒惑二字及詳王註言熒惑逆守之事益知經中之闕也

復則寒雨暴至迺零冰雹霜雪殺物陰厥且格

陽反上行頭腦戶痛延及腦頂發熱上應辰星

新校正云詳不及之運剋我者行勝我者之子來復當來復之後勝星減曜復星明大此只言上應辰星而不言熒惑者闕文也當云上應辰星熒惑

丹穀不成民病口瘡甚則心痛

寒氣折火則見冰雹霜雪冰雹先傷而霜雪後損皆寒氣之常也其災害乃傷於赤化也諸不及而為勝所犯子氣復之者皆歸其方也陰厥謂寒逆也格至也亦拒也水行折火以救困金天象應之辰星明瑩赤色之穀為霜雹損之

歲水不及濕乃大行長氣反用其化迺速暑雨數至上應鎮星

濕大行謂數雨也化速謂物早成也火濕齊化故暑雨數至乘水不及而土勝之鎮星之

象增益光明逆淩留犯其又甚矣

民病腹滿身重濡泄寒瘍流水腰股痛發膕腨股膝不便煩寃足痿清厥脚下痛甚則胕腫藏氣不政腎氣不衡上應辰星其穀秬

藏氣不能申其政令故腎氣不能內致和平衡平也辰星之應當減其明或遇鎮星臨屬宿者乃災○新校正云詳經云上應辰星註言鎮星以前後例相校此經闕鎮星二字

上臨太陰則大寒數舉蟄蟲早藏地積堅氷陽光不治民病寒疾於下甚則腹滿浮腫上應鎮星

新校正詳木不及上臨陽明上應太白鎮星此獨言鎮星而不言熒惑者文闕也蓋亦不

及而又上臨大陰則鎮星明盛以應土氣專盛水既益弱則熒惑無畏而明大

其主黅穀

諸辛歲也辛丑辛未歲上臨大陰大陽在泉故大寒數舉也土氣專盛故鎮星益明黅穀應天歲成也

復則大風暴發草偃木零生長不鮮面色時變筋骨併辟肉瞤瘛目視𥆧𥆧物疎璺肌肉胗發氣并鬲中痛於心腹黃氣迺損其穀不登上應歲星

木復其土故黃氣反損而黅谷不登也謂實不成無以登祭器也木氣暴復歲星下臨宿屬分者災○新校正云詳此當云上應歲星鎮星【璺】音問

帝曰善願聞其時也岐伯曰悉乎哉問也木不及春有鳴條律暢之化則秋有霧露清涼之政春有慘悽殘賊之勝則夏有炎暑燔爍之復其眚東化和氣也勝金氣也復火氣也火復於金悉因其木故災眚之作皆在東方餘眚同○新校正云按木火不及先言春夏之化秋冬之政者先言木火之政化次言勝復之變也其藏肝其病內舍胠脇外在關節東方肝之主也

火不及夏有炳明光顯之化則冬有嚴肅霜寒之政夏有慘悽凝冽之勝則不時有埃昏大雨

之復其眚南化火德也勝水眚也復土變也南方火也其藏心其病內舍膺脇外在經絡南方心之主也土不及四維有埃雲潤澤之化則春有鳴條鼓拆之政四維發振拉飄騰之變則秋有肅殺霖霪之復其眚四維東南東北西南西北方也維隅也謂日在四隅月也○新校正云詳土不及亦先言政化次言勝復也其藏脾其病內舍心腹外在肌肉四支

四維中央脾之主也

金不及夏有光顯鬱蒸之令則冬有嚴凝整肅之應夏有炎爍燔燎之變則秋有冰雹霜雪之復其眚西其藏肺其病內舍膺脇肩背外在皮毛

西方肺之主也

水不及四維有湍潤埃雲之化則不時有和風生發之應四維發埃昏驟注之變則不時有飄蕩振拉之復其眚北

飄蕩振拉大風所作○新校正云詳金水不及先言火土之化令與應故不當秋冬而言

也次言者火土勝復之變也與木火土之例不同者互文也

其藏腎其病内舍腰脊骨髓外在谿谷踹膝

肉之大會爲谷肉之小會爲谿肉分之間谿谷之會以行榮衛以會大氣

夫五運之政猶權衡也高者抑之下者舉之化者應之變者復之此生長化成收藏之理氣之常也失常則天地四塞矣

失常之理則天地四時之氣閉塞而無所運行故動必有靜勝必有復乃天地陰陽之道

故曰天地之動靜神明爲之紀陰陽之往復寒暑彰其兆此之謂也

新校正云按故曰已下與五運行大論同上兩句又與陰陽應象大論文重彼云陰陽之

升降寒暑彰其兆也

帝曰夫子之言五氣之變四時之應可謂悉矣夫氣之動亂觸遇而作發無常會卒然災合何以期之岐伯曰夫氣之動變固不常在而德化政令災變不同其候也帝曰何謂也岐伯曰東方生風風生木其德敷和其化生榮其政舒啓其令風其變振發其災散落

敷布也和和氣也榮滋榮也舒展也啓開也振怒也發出也散謂物飄零而散落也○新校正云按五運行大論云其德爲和其化爲榮其政爲散其令宣發其變摧拉其眚爲隕義與此通

南方生熱熱生火其德彰顯其化蕃茂其政明曜其令熱其變銷爍其災燔焫新校正云詳五運行大論云其德爲顯其化爲茂其政爲明其令鬱蒸其變炎爍其眚燔焫

中央生濕濕生土其德溽蒸其化豐備其政安靜其令濕其變驟注其災霖潰溽濕也蒸熱也驟注急雨也霖久雨也潰爛泥也○新校正云按五運行大論云其德爲濡其化爲盈其政爲謐其令雲雨其變動注其眚淫潰謐音密

西方生燥燥生金其德清潔其化緊斂其政勁切其令燥其變肅殺其災蒼隕

緊縮也斂收也勁鋭也切急也燥乾也肅殺謂風動草樹聲若乾也殺氣大甚則木青乾而落也○新校正云按五運行大論云其德爲清其化爲斂其政爲勁其令霧露其變肅殺其眚蒼落

北方生寒寒生水其德凄滄其化清謐其政凝肅其令寒其變凓冽其災冰雪霜雹凄滄薄寒也謐靜也肅中外嚴整也凓冽甚寒也冰雪霜雹寒氣凝結所成水復火則非時而有也○新校正云按五運行大論云其德爲寒其化爲肅其政爲靜其變凝冽其眚冰雹

是以察其動也有德有化有政有令有變有災而物由之而人應之也

夫德化政令和氣也其動靜勝復施於萬物皆悉生成變與災殺氣也其用暴速其動驟急其行損傷雖皆天地自爲動靜之用然物有不勝其動者且損且病且死焉

帝曰夫子之言歲候不及其太過而上應五星今夫德化政令災眚變易非常而有也卒然而動其亦爲之變乎岐伯曰承天而行之故無妄動無不應也卒然而動者氣之交變也其不應焉故曰應常不應卒此之謂也德化政令氣之常也災眚變易氣卒交會而有勝負者也常謂歲四時之氣不差晷刻者不常不久也

帝曰其應奈何岐伯曰各從其氣化也

歲星之化以風應之熒惑之化以熱應之鎮星之化以濕應之太白之化以燥應之辰星之化以寒應之氣變則應故各從其氣化也上文言復勝皆上應之今經言應常不應卒所謂無大變易而不應然其勝復當色有枯燥潤澤之異無見小大以應之

帝曰其行之徐疾逆順何如岐伯曰以道留久逆守而小是謂省下

以道謂順行留久謂過應留之日數也省下謂察天下人君之有德有過者也

以道而去去而速來曲而過之是謂省遺過也

順行已去已去輒逆行而速委曲而經過是謂遺其過而輒省察之也行急行緩往多往少盖謂罪之有大有小按其遺而斷之

久留而環或離或附是謂議災與其德也

環謂如環而遶盤廻而不去也火議罪金議殺土木水議德

應近則小應遠則大

近謂犯星常在遠謂犯星去久大小謂喜慶及罰罪事

芒而大倍常之一其化甚大常之二其眚即也

甚謂政令大行也即至也金火有之

小常之一其化減小常之二是謂臨視省下之過與其德也

省謂省察萬國人吏侯王有德有過者也故侯王人吏安可不深思誡慎耶

德者福之過者伐之

有德者則天降福以應之有過者天降禍以淫之則知禍福無門惟人所召耳

是以象之見也高而遠則小下而近則大

見物之理也

故大則喜怒邇小則禍福遠

象見高而小既未即禍亦未即福象見下而大禍既不遠禍亦未遥但當修德省過以候厥終苟未能慎禍而務求福祐豈有是者哉

歲運大過則運星北越

火運火星木運木星之類也北越謂北而行也

運氣相得則各行以道

無剋伐之嬀故守常而各行於中道

故歲運大過畏星失色而兼其母

木失色而兼玄火失色而兼蒼土失色而兼
赤金失色而兼黄水失色而兼白是謂兼其
毋
也

不及則色兼其所不勝

木兼白色火兼玄色土兼蒼色金
兼赤色水兼黄色是謂兼不勝也

肖者瞿瞿莫知其妙閔閔之當孰者爲良

新校正云詳肖者至爲良
與靈蘭秘典論重彼有註

妄行無徵示畏候王

不識天意心私度之妄言災咎卒無徵驗
適足以示畏之兆於候王熒惑於庶民矣

帝曰其災應何如岐伯曰亦各從其化也故時至有盛衰凌犯有逆順留守有多少形見有善

惡宿屬有勝負徵應有吉凶矣

五星之至犯王爲時盛收死爲衰東行凌犯
爲順災輕西行凌犯爲逆災重留守日多則
災深留守日少則災淺星喜潤則爲見善星
怒燥憂喪則爲見惡宿屬謂所生月之屬二
十八宿及十二辰相分所屬之位也命勝星
不災不害不勝星爲災小重命與星相得雖
災無害災者獄訟疾病之謂也雖五星凌犯
之事時遇星之因死時月雖災不成然火犯
留守逆臨則有誣譖獄訟之憂金犯則有刑
殺氣鬱之憂木犯則有震驚風鼓之憂土犯
則有中滿下利胕腫之憂水犯則有
寒氣衝稸之憂故曰徵應有吉凶也

帝曰其善惡何謂也岐伯曰有喜有怒有憂有
喪有澤有燥此象之常也必謹察之

夫五星之見也從夜深見之人見之喜星之
喜也見之畏星之怒也光色微曜乍明乍暗

星之憂也光色迴然不彰不瑩不與衆同星之喪也光色圓明不盈不縮怡然瑩然星之喜也光色勃然臨人芒彩滿溢其象懍然星之怒也澤洪潤也燥乾枯也

帝曰六者高下異乎岐伯曰象見高下其應一也故人亦應之

觀象覩色則中外之應人天咸一矣

帝曰善其德化政令之動靜損益皆何如岐伯曰夫德化政令災變不能相加也

天地動靜陰陽往復以德報德以化報化政令災眚及動復亦然故曰不能相加也

勝復盛衰不能相多也

勝盛復盛勝微復微不應以盛報微以化報變故曰不能相多也

往來小大不能相過也

勝復日數多少皆同故曰不能相過也

用之升降不能相無也

木之勝金必報火土金水皆然未有勝而無報者故氣不能相使無也

各從其動而復之耳

動必有復察動以言復也易曰吉凶悔吝生乎動此之謂歟天雖高不可度地雖廣不可量以其動復言之其猶視掌矣

帝曰其病生何如岐伯曰德化者氣之祥政令者氣之章變易者復之紀災眚者傷之始氣相勝者和不相勝者病重感於邪則甚也

祥善應也章程也式也復紀謂報復之綱紀也重感謂年氣已不及天氣又見剋殺之氣是爲重感重謂重累也

帝曰善所謂精光之論大聖之業宣明大道通於無窮究於無極也余聞之善言天者必應於人善言古者必驗於今善言氣者必彰於物善言應者同天地之化善言化言變者通神明之理非夫子孰能言至道歟

大過不及歲化無窮氣交遷變流於無極然天垂象聖人則之以知吉凶何者歲大過而星大或明瑩歲不及而星小或失色故吉凶可指而見也吉凶者何謂物禀五常之氣以生成莫不上參應之有否有宜故曰吉凶斯至矣故曰善言天者必應於人也言古之道

而今必應之故曰善言古者必驗於今也化氣生成萬物皆稟故言氣應者以物明之故曰善言應者必彰於物也彰明也氣化之應如四時行萬物備故善言應者必同天地之造化也物生謂之化物極謂之變言萬物化變終始必契於神明運為故言化變者通於神明之理聖人智周萬物無所不通故言必有發動無不應之也

迺擇良兆而藏之靈室每旦讀之命曰氣交變非齋戒不敢發慎傳也

靈室謂靈蘭室黃帝之書府也○新校正詳此文與六元正紀大論末同

○五常政大論篇第七十

新校正云詳此篇統論五運有平氣不及大過之事次言地理有四方高下陰陽之異又言歲有不病而藏氣不應為天氣制之而氣有所從之說仍言六氣五類相制

勝而歲有胎孕不育之理而後明在泉六化五味有薄厚之異而以治法終之此篇之大槩如此而專名五常政大論者舉其所先者言也

黃帝問曰太虛寥廓五運迴薄衰盛不同損益相從願聞平氣何如而名何如而紀也歧伯對曰昭乎哉問也木曰敷和

敷布和氣物以生榮

火曰升明

火氣高明

土曰備化

廣被化氣資於群品

金曰審平
金氣清審平而定

水曰靜順
水體清淨順於物也

帝曰其不及柰何岐伯曰木曰委和
陽和之氣委屈而少用也

火曰伏明
明曜之氣屈伏不伸

土曰卑監
土雖卑少猶監萬物之生化也

金曰從革從順革易堅成萬物

水曰涸流水少故流注乾涸

帝曰大過何謂岐伯曰木曰發生宣發生氣萬物以榮

火曰赫曦盛明也

土曰敦阜敦厚也阜高也土餘故高而厚

金曰堅成氣爽風勁堅成庶物

水曰流衍衍泮衍也溢也

帝曰三氣之紀願聞其候岐伯曰悉乎哉問也新校正云詳此論與五運行大論及陰陽應象大論金匱真言論相通

敷和之紀木德周行陽舒陰布五化宣平自當其位不與物爭故五氣之化各布政令於四方無相干犯○新校正云按王註大過不及各紀年辰此平木運註不紀年辰者平氣之歲不可以定紀也或者欲補註云謂丁巳丁亥丁卯壬寅壬申歲者是未達也

其氣端

端直也麗也

其性隨

順於物化

其用曲直

曲直材幹皆應用也

其化生榮

木化宣行則物生榮而美

其類草木

木體堅高草形卑下然各有堅脆剛柔蔓結條屈者

其政發散
春氣發散物稟以生木之化也
其候温和
和春之氣也
其令風
以之令行木和風
其藏肝
五藏之氣與肝同
肝其畏清
清金令也木性暄故畏清五運行大論曰木其性暄又曰燥勝風

其主目

陽升明見目與同也

其穀麻

色蒼也○新校正云按金匱眞言論云其穀麥與此不同

其果李

味酸也

其實核

中有堅核者

其應春

四時之中春化同

其蟲毛木化宣行則毛蟲生

其畜犬如草木之生無所避也○新校正云按金匱真言論篇云其畜雞

其色蒼木化宣行則物浮蒼翠也

其養筋酸入筋

其病裏急支滿木氣所生○新校正云按金匱真言論云是以知病之在筋也

其味酸木化敷和則物酸味厚

其音角調而直也

其物中堅象土中之有木也

其數八成數也

升明之紀正陽而治德施周普五化均衡均等也衡平也

其氣高火炎上

其性速火性躁疾

其用燔灼灼燒也燔之與灼皆火之用

其化蕃茂長氣盛故物大

其類火五行之氣與火類同

其政明曜

德合高明火之政也

其候炎暑

氣之至也以是候之

其令熱

熱至乃令行

其藏心

心氣應之

心其畏寒

寒水令也心性暑熱故畏寒五運行大論云心其性暑又曰寒勝熱

其主舌火以燭幽舌申明也

其穀麥色赤也○新校正云按金匱真言論云其穀黍又藏氣法時論云麥也

其果杏味苦也

其實絡中有支絡者

其應夏四時之氣夏氣同

其蟲羽羽火象也火化宣行故羽虫生

其畜馬健快躁速火類同○新校正云按金匱眞言論云其畜羊

其色赤色同又明

其養血其病瞤瘛火之性動也○新校正云按金匱眞言論云是以知病之在脉也瘛如勺切

其味苦升明氣化則物苦味純

其音徵和而美其物脉中多支脉火之化也其數七成數也

備化之紀氣協天休德流四政五化齊脩土之德靜分助四方贊成金木水火之政土之氣厚應天休和之氣以生長收藏終而復始故五化齊脩其氣平

土之生也平而正

其性順

應順群品悉化成也

其用高下

田土高下皆應用也

其化豐滿

豐滿萬物非土化不可也

其類土

五行之化土類同

其政安靜

土體厚土德靜故政化亦然

其候溽蒸

溽濕也蒸熱也

其令濕

濕化不絶竭則土令延長

其藏脾

脾氣内潤

脾其畏風

風木令也脾性雖四氣兼并然其所主猶畏木也五運行大論云脾其性靜兼又曰風勝濕

其主口
土體色容口主受納

其穀稷
色黄也○新校正云按金匱真言論作稷藏氣法時論作粳

其果棗
味甘也

其實肉
中有肌肉者

其應長夏
長夏謂長養之夏也六月氣同○新校正云按王註藏氣法時論云夏爲土母土長於中

以長而治故云長夏又註六節藏象論云所謂長夏者六月也土生於火長在夏中既長而王故云長夏

其蟲倮無毛羽鱗甲土形同

其畜牛成彼稼穡土之用也牛之應用其緩而和

其色黃土同也

其養肉所養者厚而靜

其病否

土性壅礙○新校正云按金匱眞言論云病在舌本是以知病之在肉也

其味甘

備化氣豐則物味甘厚

其音宫

大而重

其物膚

物禀備化之氣則多肌肉

其數五

生數也正土不虚加故也

審平之紀收而不爭殺而無犯五化宣明

犯謂刑犯於物也收以不爭殺而無犯匪審平之德何而能爲是哉

其氣潔

金氣以潔白瑩明爲事

其性剛

性剛故摧缺於物

其用散落

金用則萬物散落

其化堅斂

收斂堅強金之化也

其類金 審平之化金類同

其政勁肅 化急速而整肅也勁銳也

其候清切 清大凉也切急也風聲也

其令燥 燥乾也

其藏肺 肺氣之用同金化也

肺其畏熱

熱火令也肺性凉故畏火熱五運行大論曰肺其性凉

其主鼻

肺藏氣鼻通息也

其穀稻

色白也○新校正云按金匱真言論作稻藏氣法時論作黄黍

其果桃

味辛也

其實殼

外有堅殼者

其應秋四時之化秋氣同

其蟲介外被堅甲者

其畜雞性善鬬傷象金用也○新校正云按金匱真言論云其畜馬

其色白色同也

其養皮毛堅同也

其病欬有聲之病，金之應也。○新校正云：按《金匱真言論》云：病在背，是以知病之在皮毛。

其味辛審平化治則物辛，味正。

其音商和利而揚。

其物外堅金化宣行，則物體外堅。

其數九成數也。

靜順之紀藏而勿害治而善下五化咸整

治化也水之性下所以德全江海所以爲百谷王者以其善下之也

其氣明

清靜明照水氣所生

其性下

歸流於下

其用沃衍

用非靜事故沫生而流溢沃沫也衍溢也

其化凝堅

藏氣布化則水物凝堅

其類水

靜順之化水同類

其政流演

井泉不竭河流不息則流演之義也

其候凝肅

凝寒也肅靜也寒來之氣候也

其令寒

水令宣行則寒司物化

其藏腎

腎藏之用同水化也

腎其畏濕

濕土氣也腎性凜故畏土濕五運行大論曰腎其性凜

其主二陰

流注應同○新校正云按金匱眞言論曰北方黑色入通於腎開竅於二陰

其穀豆

色黑也○新校正云按金匱眞言論及藏氣法時論同

其果栗

味鹹也

其實濡

中有津液也

其應冬四時之化冬氣同

其蟲鱗鱗水化生

其畜彘善下也彘豕也

其色黑色同也

其養骨髓氣入也

其病厥厥氣逆也痿上也倒行不順也○新校正云按金匱眞言論云病在谿是以知病之在骨也

其味鹹味同也

其音羽深而和

其物濡水化豐洽庶物濡潤

其數六成數也

故生而勿殺長而勿罰化而勿制收而勿害藏而勿抑是謂平氣

生氣主歲收氣不能縱其殺長氣主歲藏氣不能縱其罰化氣主歲生氣不能縱其制收氣主歲長氣不能縱其害藏氣主歲化氣不能縱其抑夫如是者皆天氣平地氣正五化之氣不以勝剋為用故謂曰平和氣也

委和之紀是謂勝生

丁卯丁丑丁亥丁未丁酉丁巳之歲

生氣不政化氣迺揚

木少故生氣不政土寬故化氣迺揚

長氣自平收令迺早

火無忤犯故長氣自平木氣既少故收令乃早

涼雨時降風雲並興

涼金化也雨濕氣也風木化也雲濕氣也

草木晚榮蒼乾凋落

金氣有餘木不能勝故也○新校正云詳蒼和之紀木不及而金氣乘之故蒼乾凋落非

金氣有餘木不能勝也蓋木不足而金勝之也

物秀而實膚肉內充

歲生雖晚成者滿實土化氣速故如是

其氣斂

收斂無金氣故

其用聚不布散也

其動緛戾拘緩緛縮短也戾了戾也拘拘急也緩不收也

其發驚駭木屈卒伸驚駭象也

其藏肝内應肝

其果棗李棗土李木實也○新校正云詳李木實也按火土金水不及之果李當作桃王註亦非

其實核殼

核木殼
金主

其穀稷稻

金主
穀也

其味酸辛

味酸之物
熟兼辛也

其色白蒼

蒼色之物
熟兼白也

其畜犬雞

木從
金畜

其蟲毛介毛從介

其主霧露淒滄金之化也

其聲角商角從商

其病摇動注恐木受邪也

從金化也木不自政故化從金

少角與判商同

少角木不及故半與商金化同判半也○新校正云按火土金水之文判作少則此當云少角與少商同不云少商者蓋少角之運共有六年而丁巳丁亥上角與正角同丁卯丁酉上商與正商同丁未丁丑上宫與正宫同是六年者各有所同與火土金水之少運不同故不云同少商只大約而言半從商化也

上角與正角同

上見厥陰與敷和歲化同謂丁亥丁巳歲上之所見者也

上商與正商同

上見陽明則與平金歲化同丁卯丁酉歲上見陽明

其病支發癰腫瘡瘍

金刑木也

其甘蟲

子在蚄中

邪傷肝也

雖化悉與金同然其所傷則歸於肝木也

上宮與正宮同

土蓋其木與未出等也木未出土與無木同土自用事故與正土運歲化同也上見大陰

是謂上宮丁丑丁未歲上見大陰司天之化也

蕭飋肅殺則炎赫沸騰

蕭飋肅殺金無德也炎赫沸騰火之復也〔飋〕音瑟

眚於三火爲木復故其眚在東三東方也此言金之物勝也○新校正云按六元正紀大論云災三宮

所謂復也復報復也

其主飛蠹蛆雉飛羽虫也蠹內生虫也蛆蠅之生者此則物內自化爾雉鳥祥也

迺爲雷霆雷謂大聲生於大虛雲暝之中也霆謂迅雷卒如火之爆者即霹靂也

伏明之紀是謂勝長

藏氣勝長也謂癸酉癸未癸巳癸卯癸丑癸亥之歲也

長氣不宣藏氣反布

火之長氣不能施化故水之藏氣反布於時

收氣自政化令迺衡

金土之義與歲氣素無干犯故金自行其政土自平其氣

寒清數舉暑令迺薄

火氣不用故

承化物生生而不長

火令不政故承化生之物皆不長也

成實而稚遇化已老

物實成熟苗尚稚短及遇化氣未長極而氣已老矣

陽氣屈伏蟄蟲早藏

陽不用而陰勝也若上臨癸卯癸酉歲則蟄反不藏○新校正云詳癸巳癸亥之歲蟄亦不藏

其氣鬱

鬱燠不舒暢

其用暴

速也

其動彰伏變易

彰明也伏隱也變易謂不常其象見也

其發痛痛由心所生

其藏心歲運之氣通於心

其果栗桃栗水桃金果也

其實絡濡絡支脉也濡有汁也

其穀豆稻豆水稻金穀也

其味苦醎 苦兼醎也

其色玄丹 色丹之物熟兼玄也

其畜馬彘 火從水畜

其蟲羽鱗 羽從鱗

其主冰雪霜寒 水之氣也

其聲徵羽徵從羽

其病昏惑悲忘火之燥動不拘常律陰冒陽火故昏惑不治心氣不足故喜悲善忘也

從水化也火弱水強故伏明之紀半從水之政化

少徵與少羽同火少故半從水化○新校正云詳少徵運六年內癸酉癸卯同正商癸巳癸亥同歲會外癸未癸丑二年少徵與少羽同故不云判羽也

上商與正商同

歲上見陽明則與平金歲化同也癸卯及癸酉歲上見陽明○新校正云詳此不言上宮上角者蓋宮角於火無大剋伐故經不備言之

邪傷心也

受病者心

凝慘凓冽則暴雨霖霪

凝慘凓冽水無德也暴雨霖霪土之復也

眚於九

九南方也○新校正云按六元正紀大論云災九宮

其主驟注雷霆震驚

天地氣爭而生是變氣交之內害及粢盛及傷鱗類

沉黔淫雨

沉黔淫雨濕變所生也黔音陰又音今

卑監之紀是謂減化

謂化氣減少己巳己卯己丑己亥己酉己未之歲也

化氣不令生政獨彰

土少而木專其用

長氣整雨迺愆收氣平

不相干犯則平整化氣減故雨愆期

風寒並興草木榮美

風木也寒水也土少故寒氣得行生氣獨彰故草木敷榮而端美

秀而不實成而粃也

榮秀而美氣生於木化氣不滿故物實中空是以粃惡

其氣散

氣不安靜木且乘之從木之風故施散也

其用靜定

雖不能專政於時物然或舉用則終歸土德而靜定

其動瘍涌分潰癰腫

瘍瘡也涌嘔吐也分裂也潰爛也癰腫膿瘡也

其發濡滯

土性也霜濕也

其藏脾
主藏病
其果李栗
李木栗水果也
其實濡核
濡中有汁者核中堅者○新校正云詳前後濡實主水此濡字當作肉王註亦非
其穀豆麻
豆水麻木穀也
其味酸甘
甘味之物熟兼酸也

其色蒼黃

色黃之物外兼蒼也

其畜牛犬

土從木畜

其蟲倮毛

倮從毛

其主飄怒振發

木之氣用也

其聲宮角

宮從角

其病留滿否塞土氣壅礙故

從木化也不勝故從他化

少宮與少角同土少故半從木化也○新校正云詳少宮之運六年內除己丑己未與正宮同己巳己亥與正角同外有己卯己酉二年少宮與少角同故不云判角也

上宮與正宮同上見太陰則與平土運生化同也己丑己未其歲見也

上角與正角同

上見厥陰則悉是敷和之紀也己亥己巳其歲見也

其病飧泄風之勝也

邪傷脾也縱諸氣金病即自傷脾○新校正云詳此不言上商者土為金無相剋伐故經不紀之也又註云縱諸氣金病即自傷脾也金字疑誤

振拉飄揚則蒼乾散落振拉飄揚木無德也蒼乾散落金之復也

其眚四維東南西南西北東北土之位也○新校正云按六元正紀大論云災五宮

其主敗折虎狼

虎狼猴豺豹鹿馬獐麂諸四足之獸害於粢盛及生命也麂音几

清氣迺用生政迺辱

金氣行則木氣屈

從革之紀是謂折收

火折金收之氣也謂乙丑乙亥乙酉乙未乙巳乙卯之歲也

收氣迺後生氣迺揚

後不及時也收氣不能以時而行則生時自應布揚而用之也

長化合德火政迺宣庶類以蕃

火土之氣同生化也宣行也

其氣揚順火也

其用躁切少雖後用用則切急隨火躁也

其動鏗禁瞀厥鏗欬聲也禁謂二陰禁止也瞀悶也厥謂氣上逆也【鏗】音坑【瞀】音冒

其發欬喘欬金之有聲喘肺藏氣也

其藏肺主藏病

其果李杏

李木杏火果也

其實殼絡

外有殼内有支絡之實也

其穀麻麥

麻木麥火穀也麥色赤也

其味苦辛

苦味勝辛辛兼苦也

其色白丹

赤加白也

其畜雞羊金從火土之兼化也○新校正云詳火畜馬土畜牛今言羊故王註云從火土之兼化爲羊也或者當去註中之土字甚非

其蟲介羽介從羽

其主明曜炎爍火之勝也

其聲商徵商從徵

其病嚏欬鼽衄

金之病也

從火化也

火氣來勝故屈己以從之

少商與少徵同

金少故半同火化也○新校正云詳少商運六年內除乙卯乙酉同正商乙巳乙亥同正角外乙丑乙未二年爲少商同少徵故不云判徵也

上商與正商同

上見陽明則與平金運生化同乙卯乙酉其歲上見也

上角與正角同

上見厥陰則與平木運生化同乙巳乙亥其歲上見也○新校正云詳金土無相勝剋故

經不言上宮與正宮同也

邪傷肺也

有邪之勝則歸肺

炎光赫烈則冰雪霜雹

炎光赫烈火無德也冰雪霜雹水之復也水復之作雹形如半珠○新校正云詳註云雹形如半珠半字疑誤

眚於七

七西方也○新校正云按六元正紀大論云災七宮

其主鱗伏彘鼠

突戾潛伏歲主縱之以傷赤實及羽類也

歲氣早至適生大寒 水之化也

涸流之紀是謂反陽 陰氣不及反爲陽氣代之謂辛未辛巳辛卯辛酉辛亥辛丑之歲也

藏令不舉化氣迺昌 少水而土盛

長氣宣布蟄蟲不藏 大陽在泉經文背也厥陰陽明司天乃如經謂也

土潤水泉減草木條茂榮秀滿盛 長化之氣豐而厚也

其氣滯從土也

其用滲泄不能流也

其動堅止謂便寫也水少不濡則乾而堅止藏氣不能固則注下而奔速

其發燥槁陰少而陽盛故爾

其藏腎主藏病也

其果棗杏

棗土杏水果也

其實濡肉

濡水肉土化也

其穀黍稷

黍火稷土穀也○新校正云按本論上文麥爲火之穀今言黍者疑麥字誤爲黍也雖金匱眞言論作黍然本論作麥當從本論之文也

其味甘鹹

甘入於鹹味甘美也

其色黅玄

黄加黑也

其畜彘牛

水從土畜

其蟲鱗倮

鱗從倮

其主埃鬱昏翳

土之勝也

其聲羽宫

羽從宫

其病痿厥堅下

水土參并故如是

從土化也

不勝於土故從他化

少羽與少宮同

水土各半化也○新校正云詳少羽之運六年內除辛丑辛未與正宮同外辛卯辛酉辛巳辛亥四歲為同少宮故不言判宮也

上宮與正宮同

上見太陰則與平土運生化同辛丑辛未歲上見之○新校正云詳此不言上角上商者蓋水於金木無相剋伐故也

其病癃閟

癃小便不通閟大便乾澁不利也

邪傷腎也

邪勝則傷腎

埃昏驟雨則振拉摧拔

埃昏驟雨土之眚也振拉摧拔木之復也

眚於一

一北方也諸謂方者國郡州縣境之方也○新校正云按六元正紀大論云災一宮

其主毛顯狐狢變化不藏

毛顯謂毛蟲麋鹿麞麂猯兔虎狼顯見傷於黃實無害倮蟲之長也變化謂爲魅狐狸當之不藏謂害粢盛鼠猯兔狸狢當之所謂毛顯不藏也【猯】他端反

故乘危而行不速而至暴虐無德災反及之微者復微甚者復甚氣之常也

通言五行氣少而有勝復之大凡也乘彼孤危恃乎強盛不召而往專肆威形怨禍自招又誰咎也假令木弱金氣來乘暴虐蒼卒是無德也木被金害火必讎之金受火燔則災及也夫如是者刑甚則復甚刑微則復微氣動之常固其宜也五行之理咸迭然乎○新校正云按五運不及之詳具氣交變大論中

發生之紀是謂啓敕

物乘木氣以發生而啓敕其容質也是謂壬申壬寅壬子壬午壬辰壬戌之六歲化也敕古陳字

土踈泄蒼氣達

生氣上達是故主體踈泄木之専政故蒼氣上達達通也出也行也

陽和布化陰氣迺隨

少陽先生發於萬物之表厥陰次隨營運於萬象之中也

生氣淳化萬物以榮

歲木有餘金不來勝生令布化故物以舒榮

其化生其氣美

木化宣行則物容端美

其政散

布散生榮無所不至

其令條舒

紊

條直也理也舒啓也端直舒啓萬物隨之發生之化無非順理者也

其動掉眩巔疾

掉搖動也眩旋轉也巔上首也疾病氣也○新校正云詳王不解其動之義按後敦阜之紀其動濡積并稸王註云動謂變動又堅成之紀其動暴折瘍疰王註云動以生病盖謂氣既變動因動以生病也則木火土水金之動義皆同也又按王註脉要精微論云巔疾上巔疾也又註奇病論云巔謂上巔則頭首也此註云巔上也疾病氣也氣字爲衍也

其德鳴靡啓拆

風氣所生○新校正云按六元正紀大論云其化鳴紊啓拆

其變振拉摧拔

振謂振怒拉謂中折摧謂仆落拔謂出本○新校正按六元正紀大論同

其穀麻稻

木化齊金

其畜雞犬

齊雞孕也

其果李桃

李齊桃實也

其色青黃白

青加於黃白自正也

其味酸甘辛

酸入於甘辛齊化也

其象春以春之氣布散陽和

其經足厥陰少陽厥陰肝脉少陽膽脉

其藏肝脾肝勝脾

其蟲毛介木餘故毛齊介育

其物中堅外堅中堅有核之物齊等於皮殼之類也

其病怒

木餘故

大角與上商同

大過之木氣與金化齊等○新校正云按大過五運獨大角言與上商同餘四運並不言者疑此文爲衍

上徵則其氣逆其病吐利

上見少陰少陽則其氣逆行壬子壬午歲上見少陰壬寅壬申歲上見少陽木餘遇火故氣不順○新校正云按五運行大論云氣相得而病者以下臨上不當位也不云上羽者水臨木爲相得故也

不務其德則收氣復秋氣勁切甚則肅殺清氣

大至草木凋零邪迺傷肝
恃己大過凌犯於土土氣屯極金爲復讎金行殺令故邪傷肝木也

赫曦之紀是謂蕃茂
物遇大陽則蕃而茂是謂戊辰戊戌寅戊子戊戌戊申戊午之歲也○新校正云按或云註中大陽當作大徵詳木土金水之大過註俱不言角商宫羽等運而水大過註云陰氣大行此火大過是物遇大陽也安得謂之大徵乎

陰氣内化陽氣外榮
陰陽之氣得其序也

炎暑施化物得以昌
長氣多故爾

其化長其氣高
長化行則物容大高氣達則物色明
其政動
革易其象不常也
其令鳴顯
火之用而有聲火之燔而有焰象無所隱則其信也顯露也
其動炎灼妄擾
妄謬也擾撓也
其德暄暑鬱蒸
熱化所生長於物也○新校正云按六元正紀大論云其化暄囂鬱燠又作暄曜

其變炎烈沸騰

勝復之有極於是也

其穀麥豆

火齊水化也

其畜羊彘

齊孕育也○新校正云按本論上文馬爲火之畜今言羊者疑馬字誤爲羊金匱真言論及藏氣法時論俱作羊然本論作馬當從本論之文也

其果杏栗

等實也

其色赤白玄

赤色加白黑自正也

其味苦辛鹹

辛物兼苦與鹹化齊成也

其象夏

如夏氣之熱也

其經手少陰太陽

少陰心脉太陽小腸脉

手厥陰少陽

厥陰心包脉少陽三焦脉

其藏心肺

心勝肺

其蟲羽鱗火餘故鱗羽齊化

其物脉濡脉火物濡水物水火齊也○新校正云詳脉即絡也文雖殊而義同

其病笑瘧瘡瘍血流狂妄目赤火盛故

上羽與正徵同其收齊其病痓上見大陽則天氣且制故大過之火反與平火運生化同也戊辰戊戌歲上見之若平火運同則五常之氣無相淩犯故金收之氣生化同等

氷

上徵而收氣後也

上見少陰少陽則其生化自政金氣不能與之齊化戊子戊午歳上見少陰戊寅戊申歳上見少陽火盛故收氣後化○新校正云按氣交變大論云歳火大過上臨少陰少陽火燔焫水泉涸物焦槁

暴烈其政藏氣迺復時見凝慘甚則雨水霜雹切寒邪傷心也

不務其德輕侮致之也○新校正云按氣交變大論云雨冰霜寒與此互文也

敦阜之紀是謂廣化

上餘故化氣廣被於物也是謂甲子甲戌甲申甲午甲辰甲寅之歳也

厚德清静順長以盈

土性順用無與物爭故德厚而不躁順火之長育使萬物化氣盈滿也

至陰内實物化充成

至陰土精氣也夫萬物所以化成者皆以至陰之靈氣生化於中也

煙埃朦鬱見於厚土

厚土山也烟埃土氣也

大雨時行濕氣迺用燥政迺辟

濕氣用則燥政辟自然之理爾

其化圓其氣豐

化氣豐圓以其清靜故也

其政靜

靜而能久故政常存

其令周備

氣煖故周備

其動濡積并稸

動謂變動

其德柔潤重淳

靜而柔潤故厚德常存○新校正云按六元正紀大論云其化柔潤重澤

其變震驚飄驟崩潰

震驚雷霆之作也飄驟暴風雨至也大雨暴注則山崩土潰隨水流沒

其穀稷麻

土木齊化

其畜牛犬

齊孕育也

其果棗李

土木齊化

其色黅玄蒼

黄色加黑蒼自正也

其味甘鹹酸

甘入於鹹酸齊化也

其象長夏

六月之氣生化同

其經足太陰陽明

太陰脾脉陽明胃脉

其藏脾腎

脾勝腎

其蟲倮毛

土餘故毛倮齊化

其物肌核

肌土核木化也

其病腹滿四肢不舉

土性靜故病如是○新校正云詳此不云上羽上徵者徵羽不能虧盈於土故無他候也

大風迅至邪傷脾也木盛怒故土脾傷

堅成之紀是謂收引引斂也陽氣收陰氣用故萬物收斂謂庚午庚辰庚寅庚子庚戌庚申之歲也

天氣潔地氣明秋氣高潔金氣同

陽氣隨陰治化陽順金而生化

燥行其政物以司成

燥氣行化萬物專司其成熟無遺略也

收氣繁布化治不終

收殺氣早土之化不得終其用也○新校正云詳繁字疑誤

其化成其氣削

減削也

其政肅

肅清也靜也

其令鋭切

氣用不屈勁而急

其動暴折瘍疰

動以生病

其德霧露蕭飋燥之化也蕭飋風聲也靜爲霧露用則風生○新校正云按六元正紀大論德作化

其變肅殺凋零隕墜於物

其穀稻黍金火齊化也○新校正云按本論上文麥爲火之穀當言其穀稻麥

其畜雞馬齊孕育也

其果桃杏

金火齊實

其色白青丹

白加於青丹自正也

其味辛酸苦

辛入酸苦齊化

其象秋

氣爽清潔如秋之化

其經手太陰陽明

太陰肺脉陽明大腸脉

其藏肺肝

肺勝肝

其蟲介羽金餘故介羽齊育

其物殼絡殼金絡火化也

其病喘喝胷憑仰息金氣餘故

上徵與正商同其生齊其病欬上見少陰少陽則天氣且抑故其生化與平金歲同庚子庚午歲上見少陰庚寅庚申歲上見少陽上火制金故生氣與之齊化火乘金肺故病欬○新校正云詳此不言上羽者

水與金非相勝剋故

政暴變則名木不榮柔脆焦首長氣斯救大火流炎爍且至蔓將槁邪傷肺也

變謂大甚也政大甚則生氣抑故木不榮草首焦死政暴不已則火氣發怒故火流炎爍至柔條蔓草脆之類皆乾死也火乘金氣故肺氣傷也

流衍之紀是謂封藏

陰氣大行則天地封藏之化也謂丙寅丙子丙戌丙申丙午丙辰之歲也

寒司物化天地嚴凝

陰之氣也

藏政以布長令不揚

藏氣用則長化止故令不發揚

其化凛其氣堅

寒氣及物則堅定

其政謐

謐靜也

其令流注

水之象也

其動漂泄沃涌

沃沫也涌溢也

其德凝慘寒雰

寒之化也○新校正云按六元正紀大論作其化凝慘凓冽

其變冰雪霜雹

非時而有

其穀豆稷

水齊土化

其畜彘牛

齊孕育也

其果栗棗

水土齊實

其色黑丹黅

黑加於丹黄自正也

其味鹹苦甘鹹入於苦甘化齊焉

其象冬氣序凝肅似冬之化

其經足少陰太陽少陰腎脉太陽膀胱脉

其藏腎心腎勝心

其蟲鱗倮

水餘故鱗倮齊育

其物濡滿濡水滿土化也○新校正云按土不及作肉土太過作肌此作滿互相成也

其病脹水餘也

上羽而長氣不化也上見太陽則天不能布化以長養也丙辰丙戌之歲上見天符水運也○新校正云按氣交變大論云上臨太陽則雨冰雪霜不時降濕氣變物不云上徵者運所勝也

政過則化氣大舉而埃昏氣交大雨時降邪傷腎也

暴寒數舉是謂政過火被水凌土來仇復故天地昏翳土水氣交大雨斯降而邪傷腎也

故曰不恒其德則所勝來復政恒其理則所勝同化此之謂也

不恒謂恃已有餘凌犯不勝恒謂守常之化不肆威刑如是則克己之氣歲同治化也○新校正云詳五運大過之說具氣交變大論中

帝曰天不足西北左寒而右涼地不滿東南右熱而左溫其故何也

面異言也

岐伯曰陰陽之氣高下之理大小之異也

高下謂地形大小謂陰陽之氣盛衰之異今中原地形西北方高東南方下西方涼北方

寒東方溫南方熱氣化猶然矣

東南方陽也陽者其精降於下故右熱而左溫

陽精下降故地氣以溫而和之於下矣陽氣生於東而盛於南故東方溫而南方熱氣之多少明矣

西北方陰也陰者其精奉於上故左寒而右涼

陰精奉上故地以寒而和之於上矣陰氣生於西而盛於北故西方涼而北方寒君面巽而言臣面乾而對也○新校正云詳天地不足陰陽之說亦具陰陽應象大論中

是以地有高下氣有溫涼高者氣寒下者氣熱

新校正云按六元正紀大論云至高之地冬氣常在至下之地春氣常在

故適寒涼者脹之溫熱者瘡下之則脹已汗之

則瘡已此腠理開閉之常大小之異耳

西北東南言其大也夫以氣候驗之中原地形所居者悉以居高則寒處下則熱嘗試觀之高山多雪平川多雨高山多寒平川多熱則高下寒熱可徵見矣中華之地凡有高下之大者東西南北各三分也其一者自漢蜀江南至海也二者自漢江北至平遥縣也三者自平遥北山北至蕃界北海也故南分大熱中分寒熱兼半北分大寒南北分外寒熱尤極大熱之分其寒微大寒之分其熱微然而登涉極高山頂則南面北面寒熱懸殊榮枯倍異也又東西高下之別亦三矣其一者自汧源縣西至沙洲二者自開封縣西至汧源縣三者自開封縣東至滄海也故東分大溫中分溫凉兼半西分大凉大溫之分其寒五分之二大凉之分其熱五分之二溫凉分外溫凉尤極變爲大暄大寒也約其大凡如此然九分之地寒極於東北熱極於西南九分之地其中有高下不同地高處則濕下處

則燥此一方之中小異也若人而言之是則高下之有二也何者中原地形西高北高東高下南下今百川滿湊東之滄海則東南西北高下可知一爲地形高下故寒熱不同二則陰陽之氣有少有多故表溫凉之異爾令以氣候驗之乃春氣西行秋氣東行冬氣南行夏氣北行以中分校之自開封至汧源氣候正與曆候同以東行校之自開封至滄海每一百里秋氣至晚一日春氣發早一日西行校之自汧源縣西至蕃界磧石其以南向及西北東南者每四十里春氣發晚一日秋氣至早一日北向及東北西南者每一十五里春氣發晚一日秋氣至早一日南行校之川形有北向東北西南者每五百里○新校正云按别本作十五里○陽氣行晚一日陰氣行早一日南向及東南西北川每一十五里熱氣至早一日寒氣至晚一日廣平之地則每五十里陽氣發早一日寒氣至晚一日北行校之川形有南向及東南西北者每二十五里陽氣行晚一日陰氣行早一日北向及

東北西南川每一十五里寒氣至早一日熱氣至晚一日廣平之地則每二十里熱氣行晚一日寒氣至早一日大率如此然高處峻處冬氣常在平處下處夏氣常在觀其雪零草茂則可知矣然地土固有弓形川蛇形川月形川地勢不同生殺榮枯地同而天異凡此之類有離向丙向巽向乙向震向處則春氣早至秋氣晚至早晚校十五日有丁向坤向庚向兌向辛向乾向坎向艮向處則秋氣早至春氣晚至早晚亦校二十日是所謂帶山之地也審觀向背氣候可知寒涼之地腠理開少而閉多閉多則陽氣不散故適寒涼腹必脹也濕熱之地腠理開多而閉少開多則陽氣發散故往溫熱皮必瘡也下之則中氣不餘故脹已汗之則陽氣外泄故瘡已

帝曰其於壽夭何如

言土地居人之壽夭

岐伯曰陰精所奉其人壽陽精所降其人夭

陰精所奉高之地也陽精所降下之地也陰方之地陽不安泄寒氣外持邪不數中而正氣堅守故壽延陽方之地陽氣耗散發泄無度風濕數中眞氣傾竭故夭折即事驗之今中原之境西北方衆人壽東南方衆人夭其中猶各有微甚爾此壽夭之大異也異方者審之乎

帝曰善其病者治之柰何岐伯曰西北之氣散而寒之東南之氣收而溫之所謂同病異治也

西方北方人皮膚閉腠理密人皆食熱故宜散宜寒東方南方人皮膚疏腠理開人皆食冬故宜收宜溫散謂溫浴使中外條達收謂溫中不解表也今土俗皆反之依而療之則反甚矣○新校正云詳分方爲治亦具異法方宜論中

故曰氣寒氣凉治以寒凉行水漬之氣溫氣熱治以溫熱強其內守必同其氣可使平也假者反之

寒方以寒熱方以熱溫方以溫凉方以凉是正法也是同氣也行水漬之謂湯浸漬也平謂平調也若西方北方有冷病假熱方溫方以除之東方南方有熱疾須凉方寒方以療者則反上正法以取之

帝曰善一州之氣生化壽夭不同其故何也岐伯曰高下之理地勢使然也崇高則陰氣治之汚下則陽氣治之陽勝者先天陰勝者後天

先天謂先天時也後天謂後天時也悉言土地生榮枯落之先後也物既有之人亦宜然

此地理之常生化之道也帝曰其有壽夭乎岐伯曰高者其氣壽下者其氣夭地之小大異也小者小異大者大異大謂東南西北相遠萬里許也小謂居所高下相近二十里三十里或百里許也地形高下懸倍不相計者以近爲小則十里二十里高下平漫氣相接者以遠爲小則三百里二百里地氣不同乃異也故治病者必明天道地理陰陽更勝氣之先後人之壽夭生化之期乃可以知人之形氣矣不明天地之氣又昧陰陽之候則以壽爲夭以夭爲壽雖盡上聖救生之道畢經脉藥石之妙猶未免世中之誣斥也

帝曰善其歲有不病而藏氣不應不用者何也

岐伯曰天氣制之氣有所從也

從謂從事於彼不及營於私應用之

帝曰願卒聞之岐伯曰少陽司天火氣下臨肺氣上從白起金用草木眚火見燔焫革金且耗大暑以行欬嚏鼽衄鼻窒曰瘍寒熱胕腫

寅申之歲候也臨謂御於下從謂從事於上起謂價高於市用謂用行刑罰也臨從起用同之革謂皮革亦謂革易也金謂器屬也耗謂費用也火氣燔灼故曰生瘡瘡身瘡也瘍頭瘡也寒熱謂先寒而後熱則瘧疾也肺爲熱害水且救之水守肺中故爲胕腫胕腫謂腫滿按之不起此天氣之所生也○新校正云詳註云故曰生瘡瘡身瘡也瘍瘍頭瘡也今

經只言曰瘍疑經脫一瘡字別本曰字作口

風行于地塵沙飛揚心痛胃脘痛厥逆鬲不通其主暴速

厥陰在泉故風行于地風淫所勝故是病生焉少陽厥陰其化急速故病氣起發疾速而爲故云其主暴速此地氣不順而生是也○新校正云詳厥陰與少陽在泉言其主暴速其發機速故不言甚則某病也

陽明司天燥氣下臨肝氣上從蒼起木用而立土迺眚淒滄數至木伐草萎脇痛目赤掉振鼓慄筋痿不能久立

卯酉之歲候也木用亦謂木功也淒滄大涼也此病之起天氣生焉

暴熱至土迺暑陽氣鬱發小便變寒熱如瘧甚則心痛火行于槁流水不冰蟄蟲迺見

少陰在泉熱盛于地而爲是也病之所有地氣生焉

大陽司天寒氣下臨心氣上從而火且明

新校正云詳火且明三字當作火用二字

丹起金迺眚寒清時舉勝則水冰火氣高明心熱煩嗌乾善渴鼽嚏喜悲數欠熱氣妄行寒迺復霜不時降善忘甚則心痛

辰戌之歲候也寒清時舉大陽之令也火氣高明謂爓灼於物也不時謂大早及偏害不循時令不普及於物也病之所起天氣生焉

土迺潤水豐衍寒客至沉陰化濕氣變物水飲內稸中滿不食皮痛肉苛筋脉不利甚則胕腫身後癰

大陰在泉濕盛于地而爲是也病之源始地氣生焉○新校正云詳身後癰當作身後難

厥陰司天風氣下臨脾氣上從而土且隆黃起水迺眚土用革體重肌肉萎食減口爽風行大虛雲物搖動目轉耳鳴

巳亥之歲候也土隆土用革謂土氣有用而革易其體亦謂土功事也雲物搖動是謂風高此病所生天之氣也

火縱其暴地迺暑大熱消爍赤沃下蟄蟲數見

流水不冰少陽在泉火盛于地而爲是也病之宗兆地氣生焉其發機速少陽厥陰之氣變化卒急其爲疾病速若發機故曰其發機速少陰司天熱氣下臨肺氣上從白起金用草木眚喘嘔寒熱嚏鼽衄鼻窒大暑流行子午之歲候也熱司天氣故是病生天氣之作也甚則瘡瘍燔灼金爍石流天之交也地迺燥凄滄數至脇痛善大息肅殺行草木變

變謂變易容質也脇痛大息地氣生也

大陰司天濕氣下臨腎氣上從黑起水變

新校正云詳前後文此少火迺眚三字

埃冒雲雨胷中不利陰痿氣大衰而不起不用

新校正云詳不用二字當作水用

當其時反腰脽痛動轉不便也

丑未之歲候也水變謂甘泉變鹹也埃土霧也冒不分遠也雲雨土化也脽謂臀肉也病之有者天氣生焉

厥逆

新校正云詳厥逆二字疑當連上文

地迺藏隂大寒且至蟄蟲早附心下否痛地裂冰堅少腹痛時害於食乘金則止水增味迺鹹行水減也止水井泉也行水河渠流注者也止水雖長迺變常甘美而爲鹹味也病之有者地氣生焉○新校正云詳大陰司天之化不言甚則病甚而云當其時又云乘金則云云者與前條互相發明也

帝曰歲有胎孕不育治之不全何氣使然歧伯曰六氣五類有相勝制也同者盛之異者衰之此天地之道生化之常也故厥陰司天毛蟲靜羽蟲育介蟲不成

謂乙巳丁巳己巳辛巳癸巳乙亥丁亥己亥辛亥癸亥之歲也靜無聲也亦謂靜退不先用事也羽爲火虫氣同地也火制金化故介虫不成謂白色有甲之虫少孕育也

在泉毛蟲育倮蟲耗羽蟲不育

地氣制土黃倮耗損歲乘木運其又甚也羽虫不育少陽自抑之是則五寅五申歲也凡稱不育不成皆謂少非悉無也

少陰司天羽蟲靜介蟲育毛蟲不成

謂甲子丙子戊子庚子壬子甲午丙午戊午庚午壬午之歲也靜謂胡越鷰百舌鳥之類也是歲黑色毛虫孕育少成

在泉羽蟲育介蟲耗不育

地氣制金白介虫不育歲乘火運斯復甚焉是則五卯五酉歲也○新校正云詳介虫耗

少少陰在泉火尅金也介蟲不育以陽明在天自抑之也

大陰司天倮蟲靜鱗蟲育羽蟲不成是謂乙丑丁丑己丑辛丑癸丑乙未丁未己未辛未癸未之歲也倮蟲者謂人及蝦蟆之類也羽蟲謂青緑色者則鸚鵡鷙鳥翠碧鳥之類謂青緑色之有羽者歲乗金運其復甚哉鷙音列

在泉倮蟲育鱗蟲不成新校正云詳此少一耗字地氣制水黑鱗不育歲乗土運而又甚焉是則五辰五戌是也

少陽司天羽蟲靜毛蟲育倮蟲不成

謂甲寅丙寅戊寅庚寅壬寅甲申丙申戊申庚申壬申之歲也倮虫謂青緑色者也羽虫謂黑色諸有羽翼者則越鷰百舌鳥之類是也

在泉羽蟲育介蟲耗毛蟲不育

地氣制金白介耗損歲乘火運其又甚也毛虫不育天氣制之是則五巳五亥歲也

陽明司天介蟲静羽蟲育介蟲不成

謂乙卯丁卯己卯辛卯癸卯乙酉丁酉己酉辛酉癸酉之歲也羽爲火虫故蕃育也介虫諸有赤色甲殻者也赤介不育天氣制之

在泉介蟲育毛蟲耗羽蟲不成

地氣制木黑毛虫耗歲乘金運損復甚焉是則五子五午歲也羽虫不就以上見少陰也

大陽司天鱗蟲静倮蟲育

羽

謂甲辰丙辰戊辰庚辰壬辰甲戌丙戌戊戌庚戌壬戌歲也倮虫育地氣同也鱗虫靜謂黄鱗不用也是歲雷霆少舉以天氣抑之也○新校正云詳此當云鱗虫不成

在泉鱗虫耗倮虫不育

天氣制勝黄黑鱗耗是則五丑五未歲也○新校正云詳此當爲鱗虫育羽虫耗倮虫不育註中鱗字亦當作羽

諸乘所不成之運則甚也

乘木之運倮虫不成乘火之運介虫不成乘土之運鱗虫不成乘金之運毛虫不成乘水之運羽虫不成當是歲者與上文同悉少能孕育也斯並運與氣同者運乘其勝復遇天符及歲會者十孕不全一二也

故氣主有所制歲立有所生地氣制已勝天氣

制勝已天制色地制形

天氣隨已不勝者制之謂制其色也地氣隨已所勝者制之謂制其形也故又曰天制色地制形焉是以天地之間五類生化互有所勝互有所化互有所生互有所制

五類衰盛各隨其氣之所宜也

宜則蕃息

故有胎孕不育治之不全此氣之常也

天地之間有生之物凡此五類也五謂毛羽倮鱗介也故曰毛虫三百六十鱗爲之長羽虫三百六十鳳爲之長倮虫三百六十人爲之長鱗虫三百六十龍爲之長介虫三百六十龜爲之長凡諸有形蚑行飛走喘息胎息大小高下青黃赤白黑身被毛羽鱗介者通而言之皆謂之虫矣不具是四者皆爲倮虫凡此五物皆有胎生卵生濕生化生因人致

問言及五類也

所謂中根也

生氣之根本發自身形之中中根也非是五類則生氣根系悉因外物以成立去之則生氣絶矣

根于外者亦五

謂五味五色類也然木火土金水之形類悉假外物色藏乃能生化外物既去則生氣離絶故皆是根于外也○新校正云詳註中色藏二字當作已成

故生化之別有五氣五味五色五類五宜也

然是二十五者根中根外悉有之五氣謂臊焦香腥腐也五味謂酸苦甘辛鹹也五色謂青黄赤白黑也五類有二矣其一者謂毛羽倮鱗介其二者謂燥濕液堅耎也夫如是等

於萬物之中互有所宜也

帝曰何謂也岐伯曰根于中者命曰神機神去則機息根于外者命曰氣立氣止則化絶

諸有形之類根於中者生源繫天其所動浮皆神氣爲機發之主故其所爲也物莫之知是以神捨去則機發動用之道息矣根于外者生源繫地故其所生長化成收藏皆爲造化之氣所成立故其所出也物亦莫之知是以氣止息則生化結成之道絶滅矣其木火土金水燥濕液堅柔雖常性不易及乎外物去生氣離根化絶止則其常體性顔色皆必小變移其舊也○新校正云按六微旨大論云出入廢則神機化滅升降息則氣立孤危故非出入則無以生長壯老已非升降則無以生長化收藏

故各有制各有勝各有生各有成

根中根外悉如是

故曰不知年之所加氣之同異不足以言生化此之謂也

新校正云按六節藏象論云不知年之所加氣之盛衰虛實之所起不可以爲工矣

帝曰氣始而生化氣散而有形氣布而蕃育氣終而象變其致一也

始謂始發動散謂流散於物中布謂布化於結成之形所終極於收藏之用也故始動而生化流散而有形布化而成結終極而萬象皆變也即事驗之天地之間有形之類其生也柔弱其死也堅強凡如此類皆謂變易生死之時形質是謂氣之終極○新校正云按天元紀大論云物生謂之化物極謂之變又六微旨大論云物之生從於化物之極由乎

變變化相薄成敗之所由也

然而五味所資生化有薄厚成熟有少多終始不同其故何也岐伯曰地氣制之也非天不生而地不長也

天地雖無情於生化而生化之氣自有異同爾何者以地體之中有六入故也氣有同異故有生有化有不生有不化有少生少化有廣生廣化矣故天地之間無必生必化必不生必不化必少生少化必廣生廣化也各遺其氣分所好所惡所異所同也

帝曰願聞其道岐伯曰寒熱燥濕不同其化也

舉寒熱燥濕四氣不同則温清異化可知之矣

故少陽在泉寒毒不生其味辛其治苦酸其穀

蒼丹

巳亥歲氣化也夫毒者皆五行慓盛暴烈之氣所爲也今火在地中其氣正熱寒毒之物氣與地殊生死不同故生少也火制金氣故味辛者不化也少陽之氣上奉厥陰故其歲化苦與酸也六氣主歲唯此歲通和木火相承故無間氣也苦丹地氣所化酸蒼天氣所生也餘所生化悉有上下勝尅故皆有間氣矣

陽明在泉濕毒不生其味酸其氣濕

新校正云詳在泉六惟陽明與大陰在泉之歲云其氣濕其氣熱蓋以濕燥未見寒濕之氣故再云其氣也

其治辛苦甘其穀丹素

子午歲氣化也燥在地中其氣涼清故濕溫毒少生化也金木相制故味酸者少化也

陽明之氣上奉少陰故其歲化辛與苦也辛素地氣也苦丹天氣也甘間氣也所以間金火之勝剋故兼治甘

太陽在泉熱毒不生其味苦其治淡鹹其穀黅秬

丑未歲氣化也寒在地中與熱殊化故其歲物熱毒不生水勝火味故當苦也大陽之氣上奉太陰故其氣化生淡鹹也大陰土氣上主於天氣遠而高故甘之化薄而爲淡也所以淡亦屬甘甘之類也淡黅天化也鹹秬地化也黅黃也○新校正云詳註云味故當苦當作故味苦者不化傳寫誤也

厥陰在泉清毒不生其味甘其治酸苦其穀蒼赤

寅申歲氣化也温在地中與清殊性故其歲物清毒不生木勝其土故味甘少化也厥陰之氣上合少陽所合之氣既無乖忤故其治化酸與苦也酸蒼地化也苦赤天化也氣無勝剋故不間氣以甘化也

其氣專其味正

厥陰少陽在泉之歲皆氣化專一其味純正然餘歲悉上下有勝剋之氣故皆其間氣間味矣

少陰在泉寒毒不生其味辛其治辛苦甘其穀白丹

卯酉歲氣化也熱在地中與寒殊化故其歲藥寒毒甚微火氣爍金故味辛少化也少陰陽明主天主地故其所治苦與辛焉苦丹爲地氣所育白辛爲天氣所生甘間氣也所以

間止剋伐也

大陰在泉燥毒不生其味鹹其氣熱其治甘鹹其穀黅秬

辰戌歲氣化也地中有濕與燥不同故乾毒之物不生化也土制於水故味鹹少化也大陰之氣上承大陽故其歲化甘與鹹也甘黅地化也鹹秬天化也寒濕不為大忤故間氣同而氣熱者應之

化淳則鹹守氣專則辛化而俱治

淳和也化淳謂少陽在泉之歲也火來居泉而反能化育是水鹹自守不與火爭化也氣專謂厥陰在泉之歲也木居于水而復下化金不受害故辛復生化與鹹俱王也唯此兩歲上下之氣無剋伐之嬈故辛得與鹹同應王而生化也餘歲皆上下有勝剋之變故其

中間其味兼化以緩其制抑餘苦鹹酸三味不同其生化也故天地之間藥物辛甘者多也

故曰補上下者從之治上下者逆之以所在寒熱盛衰而調之

上謂司天下謂在泉也司天地氣大過則逆其味以治之司天地氣不及則順其味以和之從順也

故曰上取下取內取外取以求其過能毒者以厚藥不勝毒者以薄藥此之謂也

上取謂以藥制有過之制也制而不順則吐之下取謂以迅疾之藥除下病攻之不去則下之內取謂食及以藥內之審其寒熱而調之外取謂藥熨令所病氣調適也當寒反熱

以冷調之當熱反寒以温和之上盛不已吐而脫之下盛不已下而奪之謂求得氣過之道也藥厚薄謂氣味厚薄者也○新校正云按甲乙經云胃厚色黑大骨肉肥者皆勝毒其瘦而薄胃者皆不勝毒又按異法方宜論云西方之民陵居而多風水土剛强不衣而褐薦華食而脂肥故邪不能傷其形體其病病生於内其治宜毒藥

氣反者病在上取之下病在下取之上病在中傍取之下取謂寒逆於下而熱攻於上不利於下氣盈於上則温下以調之上取謂寒積於下温之不去陽藏不足則補其陽也傍取謂氣并於左則藥熨其右氣并於右則藥熨其左以和之必隨寒熱爲適凡是七者皆病無所逃動而必中斯爲妙用矣

治熱以寒温而行之治寒以熱凉而行之治温

以清冷而行之治清以溫熱而行之氣性有剛柔形證有輕重方用有大小調制有寒溫盛大則順氣性以取之小耎則逆氣性以伐之氣殊則主必不容力倍則攻之必勝是則謂湯飲調氣之制也○新校正云按至真要大論云熱因寒用寒因熱用必伏其所主而先其所因其始則同其終則異可使破積可使潰堅可使氣和可使必已

故消之削之吐之下之補之寫之久新同法量氣盛虛而行其法病之新久無異道也

帝曰病在中而不實不堅且聚且散柰何歧伯曰悉乎哉問也無積者求其藏虛則補之隨病所在命其藏以補之

藥以袪之食以隨之食以無毒之藥隨湯丸以迫逐之使其盡也行水漬之和其中外可使畢巳中外通和氣無流礙則釋然消散真氣自平

帝曰有毒無毒服有約乎岐伯曰病有久新方有大小有毒無毒固宜常制矣大毒治病十去其六下品藥毒毒之大也常毒治病十去其七中品藥毒次於下也

小毒治病十去其八上品藥毒毒之小也

無毒治病十去其九上品中品下品無毒藥悉謂之平

穀肉果菜食養盡之無使過之傷其正也大毒之性烈其爲傷也多小毒之性和其爲傷也少常毒之性減大毒之性一等加小毒之性一等所傷可知也故至約必止之以待來證爾然無毒之藥性雖平和久而多之則氣有偏勝則有偏絶久攻之則藏氣偏弱既弱且困不可長也故十去其九而止服至約已則以五穀五肉五果五菜隨五藏宜者食之已盡其餘病藥食兼行亦通也○新校正云按藏氣法時論云毒藥攻邪五穀爲養五果爲助五畜爲益五菜爲充

不盡行復如法

法謂前四約也餘病不盡然再行之毒之大小至約而止必無過也

必先歲氣無伐天和

歲有六氣分主有南面北面之政先知此六氣所在人脉至尺寸應之大陰所在其脉沉少陰所在其脉鉤厥陰所在其脉弦大陽所在其脉大而長陽明所在其脉短而濇少陽所在其脉大而浮如是六脉則謂天和不識不知呼爲寒熱攻寒令熱脉不變而熱疾已生制熱令寒脉如故而寒病又起欲求其適安可得乎夭枉之來率由於此

無盛盛無虛虛而遺人夭殃

不察虛實但思攻擊而盛盛者轉盛虛虛者轉虛萬端之病從茲而甚眞氣日消病勢日侵殃外之來皆夭之與難可逃也悲夫

無致邪無失正絕人長命所謂伐天和也攻虛謂實是則致邪不識藏之虛斯爲失正氣既死則爲死之由矣

帝曰其久病者有氣從不康病去而瘠柰何從謂順也

岐伯曰昭乎哉聖人之問也化不可代時不可違化謂造化也代大匠斲猶傷其手況造化之氣人能以力代之乎夫生長收藏各應四時之化雖巧智者亦無能先時而致之明非人力所及由是觀之則物之生長收藏化必待其時也物之成敗理亂亦待其時也物既有之人亦宜然或言力必可致而能代造化違四時者安也

夫經絡以通血氣以從復其不足與衆齊同養之和之靜以待時謹守其氣無使傾移其形迺彰生氣以長命曰聖王故大要曰無代化無違時必養必和待其來復此之謂也帝曰善

大要上古經法也引古之要旨以明時化之不可違不可以力代也

新刋補註釋文黄帝内經素問卷之十下

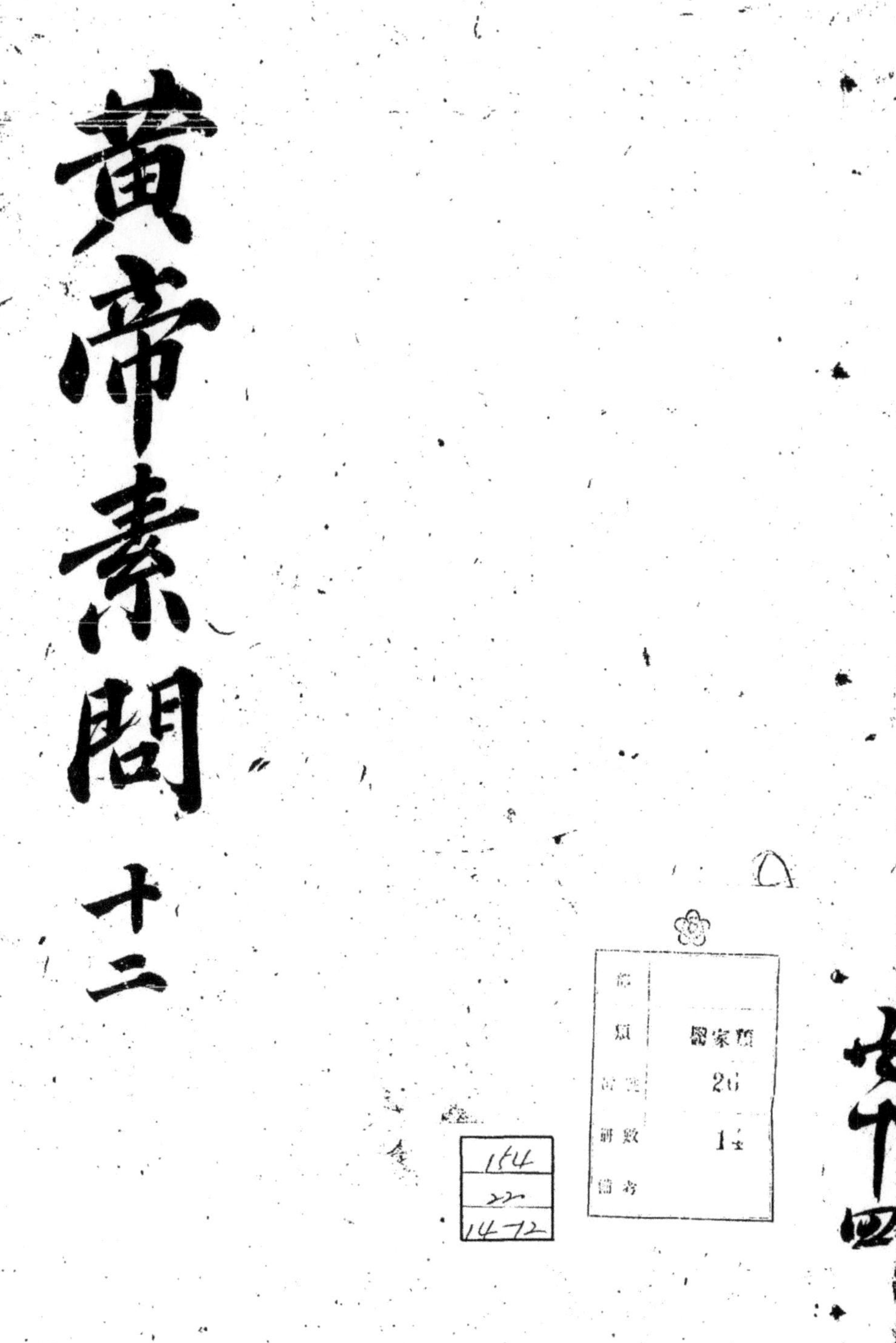

黃帝素問 十二

天

新刊補註釋文黄帝內經素問卷之十一上

○六元正紀大論篇第七十一

黄帝問曰六化六變勝復淫治甘苦辛鹹酸淡先後余知之矣夫五運之化或從五氣新校正云詳五氣疑作天氣則與下文相叶或逆天氣或從天氣而逆地氣或從地氣而逆天氣或相得或不相得余未能明其事欲通天之紀從地之理和其運調其化使上下合德無相奪倫天地升降不失其宜五運宣行勿乖其政調之正味從逆柰何

氣同謂之從，氣異謂之逆，勝制爲不相得，相生爲相得，司天地之氣更淫勝復，各有主治法則，欲令平調氣性不違忤天地之氣，以致清靜和平也。

岐伯稽首再拜對曰：昭乎哉問也！此天地之綱紀，變化之淵源，非聖帝孰能窮其至理歟！臣雖不敏，請陳其道，令終不滅，久而不易。

氣主循環，同於天地，太過不及，氣序常然，不言永定之制，則久而更易，去聖遼遠，何以明之。

帝曰：願夫子推而次之，從其類序，分其部主，別其宗司，昭其氣數，明其正化，可得聞乎？

部主謂分六氣所部主者也，宗司謂配五氣運行之位也，氣數謂天地五運氣更用之正

數也正化謂歲直氣味所宜酸苦甘辛鹹寒溫冷熱也

岐伯曰先立其年以明其氣金木水火土運行之數寒暑燥濕風火臨御之化則天道可見民氣可調陰陽卷舒近而無惑數之可數者請遂言之遂盡也

帝曰太陽之政奈何岐伯曰辰戌之紀也

太陽　太角　太陰　壬辰　壬戌

其運風其化鳴紊啓拆新校正云按五常政大論云其德鳴靡啓拆

其變振拉摧拔新校正云詳此其運其化其變從大角等運起

其病眩掉目瞑新校正云詳此病證以運加司天地爲言

大角初正　少徵　太宮　少商　大羽終

太陽　太徵　太陰　戊辰　戊戌同正徵

其運熱其化暄暑鬱燠新校正云按五常政大論云赫曦之紀上羽與正徵同

新校正云按五常政大論燠作蒸

其變炎烈沸騰其病熱鬱

大徵 少宮 大商 少羽終 少角初

大陽 大宮 大陰 甲辰歲會同天符 甲戌歲會同天符

新校正云按天元紀大論云承歲爲歲直又六微旨大論云木運臨卯火運臨午土運臨四季金運臨酉水運臨子所謂歲會氣之平也王冰云歲直亦曰歲會此甲爲大宮辰戌爲四季故曰歲會又云同天符者按本論下文云大過而加同天符是此歲一爲歲會又爲同天符也

其運陰埃

新校正云詳大宮三運兩曰陰雨獨此曰陰埃埃疑作雨

其化柔潤重澤

新校正云按五常政大論澤作滜

其變震驚飄驟其病濕下重

大宫　少商　大羽終　大角初　少徵

大陽　大商　大陰　庚辰　庚戌

其運凉其化霧露蕭飋其變肅殺凋零其病燥

背瞀胷滿

大商　少羽終　少角初　大徵　少宫

大陽　大羽

新校正云按五常政大論云上羽而長氣不化

大陰　丙辰天符　丙戌天符

新校正云按天元紀論云應天爲天符又六微旨大論云土運之歲上見大陰火運之歲上見少陽少陰金運之歲上見陽明木運之歲上見厥陰水運之歲上見太陽曰天與之會故曰天符又本論下文云五運行同天化者命曰天符又云臨者大過不及皆曰天符

其運寒

新校正云詳大羽三運此爲上羽少陽少陰司天爲大徵而少陽司天運言寒肅此與少陰司天運言其運寒者疑此大陽司天運合大羽當言其運寒肅少陽少陰司天運當云其運寒

其化凝慘凓冽

新校正云按五常政大論作凝慘寒雰

其變冰雪霜雹其病大寒留於谿谷

大羽終 大角初 少徵 大宮 少商

凡此大陽司天之政氣化運行先天六步之氣生長化成收藏皆先天時而應至也餘歲先天同之也

天氣肅地氣靜寒臨大虛陽氣不令水土合德

上應辰星鎮星明而大也

其穀玄黅天地正氣之所生長化成也黅黄也

其政肅其令徐寒政大舉澤無陽燄則火發待

時

寒甚則火鬱待四氣乃發暴爲炎熱也

少陽中治時雨乃涯北極雨散還於大陰雲朝北極濕化迺布北極雨府也澤流萬物寒敷于上雷動于下寒濕之氣持於氣交歲氣之大體也

民病寒濕發肌肉痿足痿不收濡寫血溢新校正云詳血溢者火發待時所爲之病也

初之氣地氣遷氣迺大溫

長火致之

草迺早榮民迺厲溫病迺作身熱頭痛嘔吐肌腠瘡瘍

赤斑也是爲膚腠中瘡在皮内也

二之氣大涼反至民迺慘草迺遇寒火氣遂抑民病氣欝中滿寒迺始

自涼而又之於寒氣故寒氣始來近人也

三之氣天政布寒氣行雨迺降民病寒反熱中癰疽注下心熱瞀悶不治者死

當寒反熱是反天常熱起於心則神之危亟不急扶救神必消亡故治者則生不治則死

四之氣風濕交爭風化爲雨迺長迺化迺成民病大熱少氣肌肉痿足痿注下赤白五之氣陽復化草迺長迺化迺成民迺舒■大火臨御故萬物舒榮終之氣地氣正濕令行陰凝大虛埃昏郊野民迺慘悽寒風以至反者孕迺死故歲宜苦以燥之溫之新校正云詳故歲宜苦以燥之溫之九字當在避虛邪以安其正下錯簡在此必折其鬱氣先資其化源化源謂九月迎而取之以補心火○新校正云詳水將勝也先於九月迎取其化源先寫

腎之源也蓋以水王十月故先於九月迎而取之寫水所以補火也

抑其運氣扶其不勝

大角歲脾不勝大徵歲肺不勝大宮歲腎不勝大商歲肝不勝大羽歲心不勝歲之宜也

如此然大陽司天五歲之氣適宜先助心後扶腎氣

無使暴過而生其疾食歲穀以全其眞避虛邪以安其正

木過則脾病生火過則肺病生土過則腎病生金過則肝病生水過則心病生天地之氣過亦然也歲穀謂黃色黑色穀也虛邪謂從衝後來之風也

適氣同異多少制之同寒濕者燥熱化異寒濕者燥濕化

大宮大商大羽歲同寒濕宜治以燥熱化大角大徵歲異寒濕宜治以燥濕化

用寒遠寒用凉遠凉用溫遠溫用熱遠熱食宜同法有假者反常反是者病所謂時也

時謂春夏秋冬及間氣所在同則遠之即雖其時若六氣臨御假寒熱溫凉以除疾病者則勿遠之如大陽司天寒為病者假熱以療則熱用不遠夏餘氣例同故曰有假反常也食同藥法爾若無假反法則為病之媒非方制養生之道○新校正云按用寒遠寒及有假者反常等事下文備矣

帝曰善陽明之政奈何岐伯曰卯酉之紀也

陽明　少角　少陰　清熱勝復同同正商

清勝少角熱復清氣故曰清熱勝復同也餘少運皆同也同正商者上見陽明上商與正

商同言歲木不及也餘準此○新校正云按五常政大論云委和之紀上商與正商同

丁卯歲會　丁酉　其運風清熱

不及之運常兼勝復之氣言之風運氣也清勝氣也熱復氣也餘少運悉同

少角初正　大徵　少宮　大商　少羽終

陽明　少徵　少陰　寒雨勝復同同正商

新校正云按伏明之紀上商與正商同

癸卯同歲會　癸酉同歲會

新校正云按本論下文云不及而加同歲會此運少徵為不及下加少陰故云同歲會

其運熱寒雨

少徵　大宮　少商　大羽終　大角初

陽明　少宮　少陰　風凉勝復同　己卯

己酉　其運雨風凉

少宮　大商　少羽終　少角初　大徵

陽明　少商　少陰　熱寒勝復同同正商

新校正云按五常政大論云從革之紀上商與正商同

乙卯天符　乙酉歲會太一天符

新校正云按天元紀大論云三合為治又六徵旨大論云天符歲會曰太一天符王冰云是謂三合一者天二者歲三者運會或云此歲三合曰太一天符不當更曰歲會者甚不然也乙酉本為歲會又為太一天符歲會之名不可去也或云己丑己未戊午何以不連言歲會而單言太一天符曰舉一隅不以三隅反舉一則三者可知去之則是太一

天符不爲歲會也故曰不可去也

其運凉熱寒

少商 大羽終 大角初 少徵 大宮

陽明 少羽 少陰 雨風勝復同 辛卯少宮同

新校正云按五常政大論云五運不及除同正角正商正宮外癸丑癸未當云少徵與少羽同己卯己酉少宮與少角同乙丑乙未少商與少徵同辛卯辛酉辛巳辛亥少羽與少宮同合有十年今此論獨於此言少宮同者蓋以癸丑癸未丑未爲土故不更同少羽己卯己酉爲金故不更同少角辛巳辛亥爲木故不更同少宮乙丑乙未下見太陽爲水故不更同少徵又除此八年外只有辛卯辛酉二年爲少羽同少宮也

辛酉　其運寒雨風

少羽終　少角初　大徵　少宫　大商

凡此陽明司天之政氣化運行後天

六步之氣生長化成庶務動静皆後天時而應餘少歲同

天氣急地氣明陽專其令炎暑大行物燥以堅淳風迺治風燥横運流於氣交多陽少陰雲趨

雨府濕化迺敷

雨府太陰之所在也

燥極而澤

燥氣欲終則化爲雨澤是爲三氣之分也

其穀白丹天地正氣所化生也

間穀命太者命大者謂前文大角商等氣之化者間氣化生故云間穀也○新校正云按玄珠云歲穀與間穀者何即在泉爲歲穀及在泉之左右間者皆爲歲穀其司天及運間而化者名間穀又别有一名間穀者是地化不及即反所勝而生者故名間穀即邪氣之化又名並化之穀也亦名間穀與王註頗異

其耗白甲品羽白色甲蟲多品羽類有羽翼者耗散粢盛蟲鳥甲兵歲爲災以耗竭物類

金火合德上應太白熒惑

見大而明

其政切其令暴蟄蟲迺見流水不冰民病欬嗌塞寒熱發暴振慄癃閟清先而勁毛蟲迺死熱後而暴介蟲迺殃其發暴勝復之作擾而大亂

金先勝木已承害故毛虫死火後勝金不勝故介虫復殃勝而行殺弱者已亡復者後來強者又死非大亂氣其何謂也

清熱之氣持於氣交初之氣地氣遷陰始凝氣始肅水乃冰寒雨化其病中熱脹面目浮腫善眠鼽衄嚏欠嘔小便黃赤甚則淋

大陰之化○新校正云詳氣肅水冰疑非大陰之化

二之氣陽迺布民迺舒物迺生榮癘大至民善暴死臣位君故爾

三之氣天政布涼迺行燥熱交合燥極而澤民病寒熱寒熱瘧也

四之氣寒雨降病暴仆振慄譫妄少氣嗌乾引飲及爲心痛癰腫瘡瘍瘧寒之疾骨痿血便骨痿無力

五之氣春令反行草迺生榮民氣和終之氣陽

氣布候反溫蟄蟲來見流水不冰民迺康平其病溫君之化也

故食歲穀以安其氣食間穀以去其邪歲宜以鹹以苦以辛汗之清之散之安其運氣無使受邪折其鬱氣資其化源化源謂六月迎而取之也○新校正云詳金王七月故迎於六月寫金氣

以寒熱輕重少多其制同熱者多天化同清者多地化少角少徵歲同熱用方多以天清之化治之少宮少商少羽歲同清用方多以地熱之化

治之火在地故同清者多地化金在天故同熱者多天化

用凉遠凉用熱遠熱用寒遠寒用温遠温食宜同法有假者反之此其道也反之者亂天地之經擾陰陽之紀也帝曰善少陽之政奈何岐伯曰寅申之紀也

少陽　大角

新校正云按五常政大論云上徵則其氣逆

厥陰　壬寅同天符　壬申同天符　其運風鼓

新校正云詳風火合勢故其運風鼓少陰司天大角運亦同

其化鳴紊啓坼

新校正云按五常政大論云其德鳴靡啓拆

其變振拉摧拔其病掉眩支脇驚駭

大角初正　少徵　大宮　少商　大羽終

少陽　大徵

新校正云按五常政大論云上徵而收氣後

厥陰　戊寅天符　戊申天符　其運暑其化

暄囂鬱燠

新校正云按五常政大論作暄暑鬱燠此變暑爲囂者以上臨少陽故也

其變炎烈沸騰其病上熱鬱血溢血泄心痛

大徵　少宮　大商　少羽終　少角初

少陽　大宮　厥陰　甲寅　甲申　其運陰
雨其化柔潤重澤其變震驚飄驟其病體重胕
腫痞飲
大宮　少商　大羽終　大角初　少徵
少陽　大商　厥陰　庚寅　庚申　同正商
新校正云按五常政大論云堅成之紀上徵與正商同
其運涼其化霧露清切
新校正云按五常政大論云霧露蕭瑟又大商三運兩言蕭飋獨此言清切詳此下如厥陰當此蕭飋
其變肅殺凋零其病肩背胷中

大商 少羽終 少角初 大徵 少宮

少陽 大羽 厥陰 丙寅 丙申 其運寒肅

新校正云詳此運不當言寒肅以註大陽司天大羽運中

其化凝慘凓冽

新校正云按五常政大論云作凝慘寒雰

其變冰雪霜雹其病寒浮腫

大羽終 大角初 少徵 大宮 少商

凡此少陽司天之政氣化運行先天天氣正

新校正云詳少陽司天大陰司地正得天地之正又厥陰少陽司地各云得其正者以地

主生榮爲言也本或作天氣止者少陽火之性用動躁云止義不通

地氣擾風迺暴舉木偃沙飛炎火迺流陰行陽化雨迺時應火木同德上應熒惑歲星

見明而大○新校正云詳六氣惟少陽厥陰司天司地爲上下通和無相勝剋故言火木同德餘氣皆有勝剋故言合德

其穀丹蒼其政嚴其令擾故風熱參布雲物沸騰大陰橫流寒迺時至涼雨並起民病寒中外發瘡瘍內爲泄滿故聖人遇之和而不爭往復之作民病寒熱瘧泄聾瞑嘔吐上怫腫色變初之氣地氣遷風勝迺搖寒迺去候迺大溫草木

早榮寒來不殺溫病迺起其病氣怫於上血溢目赤欬逆頭痛血崩（今詳崩字當作崩）脇滿膚腠中瘡（少陰之化）

二之氣火反鬱（大陰分故爾）白埃四起雲趨雨府風下勝濕雨迺零民迺康其病熱鬱於上欬逆嘔吐瘡發於中胷嗌不利頭痛身熱昏憒（音會）膿瘡三之氣天政布炎暑至

少陽臨上雨迺涯民病熱中聾瞑血溢膿瘡欬嘔鼽衄渴嚏欠喉痹目赤善暴死四之氣凉迺至炎暑間化白露降民氣和平其病滿身重五之氣陽迺去寒迺來雨迺降氣門迺閉新校正云按王註生氣通天論氣門玄府也所以發泄經脉榮衛之氣故謂之氣門剛木早凋民避寒邪君子周密終之氣地氣正風迺至萬物反生霿霧以行其病關閉不禁心痛陽氣不藏而欬抑其運氣贊所不勝必折其鬱氣先取化源化源年之前十二月迎而取之○新校正云詳王註資取化源俱註云取其意有四等大

陽司天取九月陽明司天取六月是二者先取在天天之氣也少陽司天取年前十二月大陰司天取九月是二者乃先時取在地之氣也少陰司天取年前十二月厥陰司天取四月義不可解按玄珠之説則不然大陽陽明之月與王註合少陽少陰俱取三月大陰取五月厥陰取年前十二月玄珠之義可解王註之月疑有誤也

暴過不生苛疾不起

苛重也。新校正云詳此不言食歲穀間穀者盖此歲天地氣正上下通和故不言也

故歲宜醎宜辛宜酸滲之泄之漬之發之觀氣寒溫以調其過同風熱者多寒化異風熱者少寒化

大角大徵歲同風熱以寒化多之大宮大商大羽歲異風熱以凉調其過也

用熱遠熱用温遠温用寒遠寒用凉遠凉食宜同法此其道也有假者反之反是者病之階也

帝曰善大陰之政柰何岐伯曰丑未之紀也

大陰　少角　大陽　清熱勝復同　同正宫

新校正云按五常政大論云委和之紀上宫與正宫同

丁丑　丁未　其運風清熱

少角初正　大徵　少宫　大商　少羽終

大陰　少徵　大陽　寒雨勝復同　癸丑

癸未　其運熱寒雨

少徵　大宫　少商　大羽終　大角初

大陰　少宮　大陽　風清勝復同　同正宮

新校正云按五常政大論云卑監之紀上宮與正宮同

己丑太一天符　己未太一天符　其運雨風清

少宮　大商　少羽終　少角初　大徵

大陰　少商　大陽　熱寒勝復同　乙丑

乙未　其運涼熱寒

少商　大羽終　大角初　少徵　大宮

大陰　少羽　大陽　雨風勝復同　同正宮

新校正云按五常政大論云涸流之紀上宮與正宮同或以此二歲爲同歲會爲平水運欲去同正宮三字者非也盖此歲有二義而輒去其一甚不可也

辛丑同歲會 辛未同歲會 其運寒雨風

少羽終 少角初 大徵 少宮 大商

凡此太陰司天之政氣化運行後天萬物生長化成皆後天時而生成也

陰專其政陽氣退辟大風時起新校正云詳此大陰之政何以言大風時起蓋厥陰爲初氣居木位春氣正風迺來故言大風時起

天氣下降地氣上騰原野昏霿白埃四起雲奔

南極寒雨數至物成於差夏南極雨府也差夏謂立秋之後一十日也

民病寒濕腹滿身䐜憤胕腫痞逆寒厥拘急濕寒合德黃黑埃昏流行氣交上應鎮星辰星見大而明其政肅其令寂其穀黅玄正氣所生成也故陰凝於上寒積於下寒水勝火則為冰雹陽光不治殺氣迺行黃黑昏埃是謂殺氣自北及西流行於東及南也故有餘宜高不及宜下有餘宜晚不及宜早土之利氣之化也民氣亦從之間穀命其大也

以間氣之大者言其歲也

初之氣地氣遷寒迺去春氣至風迺來生布萬物以榮民氣條舒風濕相薄雨迺後民病血溢筋絡拘強關節不利身重筋痿二之氣大火正物承化民迺和其病溫厲大行遠近咸若濕蒸相薄雨迺時降

應順天常不愆時候謂之時雨○新校正云詳此以少陰居君火之位故言大火正

三之氣天政布濕氣降地氣騰雨迺時降寒迺隨之感於寒濕則民病身重胕腫胷腹滿四之氣畏火臨溽蒸化地氣騰天氣否隔寒風曉暮

蒸熱相薄草木凝煙濕化不流則白露陰布以成秋令萬物得之以成民病腠理熱血暴溢瘧心腹滿熱臚脹甚則胕腫五之氣慘令已行寒露下霜迺早降草木黃落寒氣及體君子周密民病皮腠終之氣寒大舉濕大化霜迺積陰迺凝水堅冰陽光不治感於寒則病人關節禁固腰脽痛寒濕持於氣交而爲疾也必折其鬱氣而取化源九月化源迎而取之以補益也

益其歲氣無使邪勝食歲穀以全其眞食間穀以保其精故歲宜以苦燥之溫之甚者發之泄之不發不泄則濕氣外溢肉潰皮拆而水血交流必贊其陽火令禦甚寒冬之分其用五歩量氣用之也從氣異同少多其判也通言歲運之異同也同寒者以熱化同濕者以燥化少宮少商少羽歲同寒少宮歲又同濕濕過故宜燥寒過故宜熱少角少徵歲平和處之也

異者少之同者多之用涼遠涼用寒遠寒用溫遠溫用熱遠熱食宜同法假者反之此其道也反是者病也帝曰善少陰之政柰何岐伯曰子午之紀也

少陰　大角

新校正云按五常政大論云上徵則其氣逆

陽明　壬子　壬午

其運風鼓其化鳴紊啓拆

新校正云按五常政大論云其德鳴靡啓拆

其變振拉摧拔其病支滿

大角初正 少徵 大宮 少商 大羽終

少陰 大徵

新校正云按五常政大論云上徵而收氣後

陽明 戊子天符 戊午太一天符

其運炎暑

新校正云詳大徵運大陽司天曰熱少陽司天曰暑少陰司天曰炎暑兼司天之氣而言運也

其化暄曜鬱燠

新校正云按五常政大論作暄暑鬱燠此變暑爲曜者以上臨少陰故也

其變炎烈沸騰 其病上熱血溢

大徵　少宮　大商　少羽終　少角初

少陰　大宮　陽明　甲子　甲午

其運陰雨其化柔潤時雨新校正云按五常政大論云柔潤重淖又大宮三運兩作柔潤重澤此時雨二字疑誤

其變震驚飄驟其病中滿身重

大宮　少商　大羽終　大角初　少徵

少陰　大商　陽明　庚子同天符　庚午同天符

同正商新校正云按五常政大論云堅成之紀上徵與正商同

其運涼勁

新校正云詳此以運合在泉故云凉勁

其化霧露蕭飋其變肅殺凋零其病下清

大商　少羽終　少角初　大徵　少宮

少陰　大羽　陽明　丙子歲會　丙午

其運寒其化凝慘凓冽

新校正云按五常政大論作凝慘寒雰

其變冰雪霜雹其病寒下

大羽終　大角初　少徵　大宮　少商

凡此少陰司天之政氣化運行先天地氣肅

天氣明寒交暑熱加燥

暑

新校正云詳此云寒交暑暑者謂前歲終之氣少陽今歲初之氣大陽大陽寒交前歲少陽之暑也熱加燥者少陰在上而陽明在下也

雲馳雨府濕化迺行時雨迺降金火合德上應熒惑太白見而明大其政明其令切其穀丹白水火寒熱持於氣交而爲病始也熱病生於上清病生於下寒熱淩犯而爭於中民病欬喘血溢血泄鼽嚏目赤眥瘍寒厥入胃心痛腰痛腹大嗌乾腫上初之氣地氣遷燥將去

新校正云按陽明在泉之前歲爲少陽少陽者暑暑往而陽明在地大陽初之氣故上文寒交暑暑是暑去而寒始也此燥字乃暑字之誤也

寒迺始蟄復藏水迺冰霜復降風迺至新校正云按王註六微旨大論大陽居木位爲寒風切冽此風乃至當作風迺冽陽氣欝民反周密關節禁固腰脽痛炎暑將起中外瘡瘍二之氣陽氣布風迺行春氣以正萬物應榮寒氣時至民迺和其病淋目瞑目赤氣欝於上而熱三之氣天政布大火行庶類蕃鮮寒氣時至民病氣厥心痛寒熱更作欬喘目赤四之氣溽暑至大雨時行寒熱互至民病寒熱

嗌乾黃癉鼽衄飲發五之氣畏火臨暑反至陽迺化萬物迺生迺長榮民迺康其病溫終之氣燥令行餘火內格腫於上欬喘甚則血溢寒氣數舉則霧霿翳病生皮腠內舍於脇下連少腹而作寒中地將易也

氣終則遷何可長也

必抑其運氣資其歲勝折其鬱發先取化源

先於年前十月迹而取之

無使暴過而生其病也食歲穀以全眞氣食間穀以辟虛邪歲宜鹹以耎之而調其上甚則以

苦發之以酸收之而安其下甚則以苦泄之適氣同異而多少之同天氣者以寒清化同地氣者以溫熱化大角大徵歲同天氣宜以寒清治之大宮大商大羽歲同地氣宜以溫熱治之化治也用熱遠熱用凉遠凉用溫遠溫用寒遠寒食宜同法有假則反此其道也反是者病作矣帝曰善厥陰之政柰何岐伯曰巳亥之紀也

厥陰　少角　少陽　清熱勝復同　同正角新校正云按五常政大論云委和之紀上角與正角同

丁巳天符　丁亥天符　其運風清熱

少角初正　大徵　少宮　大商　少羽終

厥陰　少徵　少陽　寒雨勝復同　癸巳同歲會　癸亥同歲會　其運熱寒雨

少徵　大宮　少商　大羽終　大角初

厥陰　少宮　少陽　風清勝復同　同正角　新校正云按五常政大論云卑監之紀上角與正角同

己巳　己亥　其運雨風清

少宮　大商　少羽終　少角初　大徵

厥陰　少商　少陽　熱寒勝復同　同正角　新校正云按五常政大論云從革之紀上角與正角同

乙巳　乙亥　其運涼熱寒

少商　大羽終　大角初　少徵　大宮

厥陰　少羽　少陽　雨風勝復同　辛巳

辛亥　其運寒雨風

少羽終　少角初　大徵　少宮　大商

凡此厥陰司天之政氣化運行後天諸同正歲氣化運行同天

太過歲運化氣行先天時不及歲化生成後天時同正歲化生成與天二十四氣遲速同無先後也○新校正云詳此註云同正歲與二十四氣同疑非恐是與大寒日交司氣候同

天氣擾地氣正風生高遠炎熱從之雲趨雨府濕化迺行風火同德上應歲星熒惑其政撓其令速其穀蒼丹間穀言大者其耗文角品羽風燥火熱勝復更作蟄蟲來見流水不冰熱病行於下風病行於上風燥勝復形於中初之氣寒始肅殺氣方至民病寒於右之下二之氣寒不去華雪水冰殺氣施化霜迺降名草上焦寒雨數至陽復化民病熱於中三之氣天政布風迺時舉民病泣出耳鳴掉眩四之氣溽暑濕熱相薄爭於左之上民病黃癉而爲胕腫五之氣燥

濕更勝沉陰迺布寒氣及體風雨迺行終之氣畏火司令陽迺大化蟄蟲出見流水不冰地氣大發草迺生人迺舒其病溫厲必折其鬱氣資其化源化源四月也迹而取之贊其運氣無使邪勝歲宜以辛調上以鹹調下畏火之氣無妄犯之新校正云詳此運何以不言適氣同異少多之制者蓋厥陰之政與少陽之政同六氣分政惟厥陰與少陽之政上下無剋罰之異治化惟一故不再言同風熱者多寒化異風熱者少寒化也

用溫遠溫用熱遠熱用涼遠涼用寒遠寒食宜同法有假反常此之道也反是者病帝曰善夫子言可謂悉矣然何以明其應乎岐伯曰昭乎哉問也夫六氣者行有次止有位故常以正月朔日平旦視之覩其位而知其所在矣陰之所在天應以雲陽之所在天應以清淨自然分布象見不差運有餘其至先運不及其至後先後者寅時之先後也先則丑後後則卯初此天之道氣之常也天道昭然當期必應見無差失是氣之常

運非有餘非不足是謂正歲其至當其時也當時謂當寅之正也

帝曰勝復之氣其常在也災眚時至候也柰何

岐伯曰非氣化者是謂災也十二變備矣

帝曰天地之數終始柰何岐伯曰悉乎哉問也是明道也數之始起於上而終於下歲半之前天氣主之歲半之後地氣主之歲半謂立秋之日也○新校正云詳初氣交司在前歲大寒日歲半當在立秋前一氣之十五日不得云立秋之日也

上下交互氣主交之歲紀畢矣交互互體也上體下體之中有二互體也

故曰位明氣月可知乎所謂氣也大凡一氣主六十日而有奇以立位數之位同一氣則月之節氣中氣可知也故言天地氣者以上下體言勝復者以氣交言橫運者以上下互皆以節氣准之候之災眚變復可期矣

帝曰余司其事則而行之不合其數何也岐伯曰氣用有多少化治有盛衰衰盛多少同其化也帝曰願聞同化何如岐伯曰風溫春化同熱曛昏火夏化同勝與復同燥清煙露秋化同雲

雨昏暝埃長夏化同寒氣霜雪冰冬化同此天地五運六氣之化更用盛衰之常也帝曰五運行同天化者命曰天符余知之矣願聞同地化者何謂也岐伯曰太過而同天化者三不及而同天化者亦三太過而同地化者三不及而同地化者亦三此凡二十四歲也六十年中同天地之化者凡二十四歲餘悉隨已多少

帝曰願聞其所謂也岐伯曰甲辰甲戌太宮下加太陰壬寅壬申太角下加厥陰庚子庚午太商下加陽明如是者三癸巳癸亥少徵下加少

陽辛丑辛未少羽下加大陽癸卯癸酉少徵下加少陰如是者三戊子戊午大徵上臨少陰戊寅戊申大徵上臨少陽丙辰丙戌大羽上臨大陽如是者三丁巳丁亥少角上臨厥陰乙卯乙酉少商上臨陽明己丑己未少宮上臨大陰如是者三除此二十四歲則不加不臨也帝曰加者何謂歧伯曰大過而加同天符不及而加同歲會也帝曰臨者何謂歧伯曰大過不及皆曰天符而變行有多少病形有微甚生死有早晏耳帝曰夫子言用寒遠寒用熱遠熱余未知其

然也願聞何謂遠岐伯曰熱無犯熱寒無犯寒從者和逆者病不可不敬畏而遠之所謂時與六位也

四時氣王之月藥及食衣寒熱溫涼同者皆宜避之差四時同犯則以水濟水以火助火病必生也

帝曰溫涼何如

溫涼減於寒熱可輕犯之乎

岐伯曰司氣以熱用熱無犯司氣以寒用寒無犯司氣以涼用涼無犯司氣以溫用溫無犯間氣同其主無犯異其主則小犯之是謂四畏必

謹察之帝曰善其犯者何如

須犯者

岐伯曰天氣反時則可依時

反甚為病則可依時

及勝其主則可犯

夏寒甚則可以熱犯熱寒氣不甚則不可犯之

以平為期而不可過

氣平則止過則病生過而病生與犯同也

是謂邪氣反勝者

氣動有勝是謂邪客勝於主不可不禦也六步之氣於六位中應寒反熱應熱反寒應溫

反涼應涼反溫是謂六步之邪勝也差冬反溫差夏反冷差秋反熱差春反涼是謂四時之邪勝也勝則反其氣以平之

故曰無失天信無逆氣宜無翼其勝無贊其復是謂至治

天信謂至時必定翼贊皆佐之謹守天信是謂至真妙理也

帝曰善五運氣行主歲之紀其有常數乎岐伯曰臣請次之

甲子　甲午歲

上少陰火　中太宮土運　下陽明金

熱化二

新校正云詳對化從標成數正化從本生數甲子之年熱化七燥化九甲午之年熱化二燥化四

雨化五

新校正云按本論正文云太過不及其數何如大過者其數成不及者其數生土常以生也甲年大宮土運大過故言雨化五五土數也

燥化四所謂正化日也

正氣化也

其化上鹹寒中苦熱下酸熱所謂藥食宜也

新校正云按玄珠云下苦熱又按至真要大論云熱淫所勝平以鹹寒燥淫于內治以苦溫此云下酸熱疑誤也

乙丑　乙未歲

上太陰土　中少商金運　下太陽水

熱化寒化勝復同所謂邪氣化日也災七宮新校正云詳七宮西室兌位天柱司也災之方以運之當方言

濕化五新校正云詳太陰正司於未對司於丑其化皆五以生數也不以成數者土王四季不得正方又天有九宮不可至十

清化四新校正云按本論下文云不及者其數生乙年少商金運不及故言清化四四金生數也

寒化六

新校正云詳乙丑寒化六乙未寒化一所謂正化日也其化上苦熱中酸和下甘熱所謂藥食宜也新校正云按玄珠云上酸平下甘鹹又按至眞要大論云濕淫所勝平以苦熱寒淫于內治以甘熱

丙寅　丙申歲新校正云詳丙申之歲申金生水才化之令轉盛司天相火爲病減半

上少陽相火　中大羽水運　下厥陰木

火化二新校正云詳丙寅火化二丙申火化七

寒化六風化三

新校正云詳丙寅風化八丙申風化三

所謂正化日也其化上醎寒中醎溫下辛溫所謂藥食宜也

新校正云按玄珠云下辛凉又按至真要大論云火淫所勝平以醎冷風淫于內治以辛凉

丁卯歲會丁酉歲

新校正云詳丁年正月壬寅爲干德符便爲平氣勝復不至運同正角金不勝木木亦不災土又丁卯年得卯木佐之即上陽明不能災之

上陽明金　中少角木運　下少陰火

清化熱化勝復同所謂邪氣化日也災三宮新校正云詳三宮東室震位天衝司

燥化九新校正云詳丁卯燥化九丁酉燥化四

風化三熱化七新校正云詳丁卯熱化二丁酉熱化七

所謂正化日也其化上苦小溫中辛和下鹹寒

所謂藥食宜也新校正云按至真要大論云燥淫所勝平以苦熱熱淫于內治以鹹寒又玄珠云上苦熱

戊辰　戊戌歲

上太陽水　中太徵火運

新校正云詳此上見太陽火化減半

下太陰土寒化六

新校正云詳戊辰寒化六戊戌寒化一

熱化七濕化五所謂正化日也其化上苦溫中甘和下甘溫所謂藥食宜也

新校正云按至眞要大論云寒淫所勝平以辛熱濕淫于內治以苦熱又玄珠云上甘溫下酸平

己巳　己亥歲

上厥陰木　中少宮土運

新校正云詳至九月甲戌月已得甲戌方還正宮

下少陽相火風化清化勝復同所謂邪氣化日也災五宮

新校正云按五常政大論云其眚四維又天元玉冊云中室天禽司非離宮同正宮寄位二宮坤位

風化三

新校正云詳己巳風化八己亥風化三

濕化五火化七

新校正云詳己巳熱化七己亥熱化三

所謂正化日也其化上辛涼中甘和下鹹寒所

謂藥食宜也

新校正云按至眞要大論云風淫所勝平以辛涼火淫于內治以鹹冷

庚午同天符 庚子歲同天符

上少陰火 中太商金運

新校正云詳庚午庚子年金令減半以上見少陰君火年干亦爲火故也庚子年子是水金氣相得與庚午年又異

下陽明金 熱化七

新校正云詳庚午年熱化三燥化四庚子年熱化七燥化九

清化九燥化九所謂正化日也其化上鹹寒中辛溫下酸溫所謂藥食宜也

新校正云按玄珠云下苦熱又按至真要大論云燥淫于内治以苦熱

辛未同歲會 辛丑歲同歲會

上太陰土 中少羽水運

新校正云詳此至七月丙申月水還正羽

下太陽水雨化風化勝復同所謂邪氣化日也

災一宮

新校正云詳一宮北室坎位天蓬司

雨化五寒化一

新校正云詳此以運與在泉俱水故只言寒化一寒化一者少羽之化氣也若太陽在泉之化則辛未寒化一辛丑寒化六

所謂正化日也。其化上苦熱，中苦和，下苦熱，所謂藥食宜也。

新校正云：按玄珠云：上酸和，下甘温。又《至真要大論》云：濕淫所勝，平以苦熱；寒淫于内，治以甘熱。

壬申 同天符 壬寅歲 同天符

上少陽相火 中大角木運 下厥陰木

火化二

新校正云：詳壬申熱化七，壬寅熱化二。

風化八

新校正云：詳此以運與在泉俱木，故只言風化八。風化八乃大角之運化也，若厥陰在泉

之化則壬申風化三壬寅風化八所謂正化日也其化上鹹寒中酸和下辛凉所謂藥食宜也

癸酉同歲會癸卯歲同歲會

上陽明金中少徵火運新校正云詳此五月遇戊午月火還正徵下少陰火寒化雨化勝復同所謂邪氣化日也災九宮新校正云詳九宮離位南室天英司燥化九

新校正云詳癸酉燥化四癸卯燥化九

熱化二

新校正云詳此以運與在泉俱火故只言熱化二熱化二者少徵之運化也若少陰在泉之化與癸酉熱化七癸卯熱化二

所謂正化日也其化上苦小温中鹹温下鹹寒

所謂藥食宜也

新校正云按玄珠云上苦熱

甲戌歲會同天符　甲辰歲會同天符

上太陽水　中太宫土運　下太陰土

寒化六

新校正云詳甲戌寒化一甲辰寒化六

濕化五

新校正云詳此以運與在泉俱土故只言濕化五

所謂正化日也其化上苦熱中苦溫下苦溫所謂藥食宜也

新校正云按玄珠云上甘溫下酸平又按至眞要大論云寒淫所勝平以辛熱濕淫于內治以苦熱

乙亥　乙巳歲

上厥陰木　中少商金運

新校正云詳乙亥年三月得庚辰月見于德符即氣還正商火未得王而先平火不勝則

水不復又亥是水得力年火不勝也乙巳年火來水勝巳爲火佐於勝也即癸二月中氣君火時化日火來行勝不得水復遇三月庚辰月乙是庚而氣自全金還正商

下少陽相火熱化寒化勝復同所謂邪氣化日也災七宮風化八

新校正云詳乙亥風化三乙巳風化八

清化四火化二

新校正云詳乙亥熱化二乙巳熱化七

正化度也

度謂日也

其化上辛涼中酸和下鹹寒藥食宜也

丙子歲歲會丙午歲

上少陰火　中大羽水運　下陽明金

熱化二

新校正云詳丙子歲熱化七金之災得其半以運水大過勝於天令天令減半丙午熱化二午爲火少陰君火同天運雖水一水不能勝二火故異於丙子歲

寒化六清化四

新校正云詳丙子燥化九丙午燥化四

正化度也其化上鹹寒中鹹熱下酸溫藥食宜也

新校正云按玄珠云下苦熱又按至真要大論云燥淫于內治以苦溫

丁丑　丁未歲

上太陰土

新校正云詳此木運平氣上刑天令減半

中少角木運

新校正云詳丁年正月壬寅爲正德符爲正角

下太陽水清化熱化勝復同邪氣化度也災三宮雨化五風化三寒化一

新校正云詳丁丑寒化六丁未寒化一

正化度也其化上苦溫中辛溫下甘熱藥食宜也

新校正云按玄珠云上酸平下甘温又按至真要大論云濕淫所勝平以苦熱寒淫于內治以甘熱

戊寅天符 戊申歲天符

新校正云詳戊申年與戊寅年小異申爲金佐於肺肺受火刑其氣稍實民病得半

上少陽火　中大徵火運　下厥陰木

火化二

新校正云詳天符司天與運合故只言火化二火化二者大徵之運氣也若少陽司天之氣則戊寅火化二戊申火化七

風化三

新校正云詳戊寅風化八戊申風化三

正化度也其化上鹹寒中甘和下辛涼藥食宜也

己卯　己酉歲

新校正云詳己卯金與運土相得子臨父位爲逆

上陽明金　中少宮土運

新校正云詳復罷土氣未正後九月甲戌月土還正宮己酉之年木勝小微

下少陰火　風化清化勝復同邪氣化度也災五宮清化九

新校正云詳己卯燥化九己酉燥化四

雨化五熱化七

新校正云詳已卯熱化二己酉熱化七

正化度也其化上苦小温中甘和下鹹寒藥食宜也

庚辰　庚戌歲

上大陽水　中大商金運　下大陰土

寒化一 新校正云詳庚辰寒化六庚戌寒化一 清化九雨化五正化度也其化上苦熱中辛温下甘熱藥食宜也

新校正云按玄珠云上甘温下酸平又按至真要大論云寒淫所勝平以辛熱濕淫于内

治以苦熱

辛巳　辛亥歲

上厥陰木　中少羽水運

新校正云詳辛巳年木復土罷至七月丙申月水還正羽辛亥年爲水平氣以亥爲水相佐爲正羽與辛巳年小異

下少陽相火　雨化風化勝復同邪氣化度也

災一宫風化三

新校正云詳辛巳風化八辛亥風化三

寒化一火化七

新校正云詳辛巳熱化七辛亥熱化二

正化度也
壬午　壬子歲
上少陰火　中大角木運　下陽明金
熱化二新校正云詳壬午熱化二壬子熱化七
風化八清化四新校正云詳壬午燥化四壬子燥化九
正化度也其化上鹹寒中酸凉下酸温藥食宜
也新校正云按玄珠云下苦熱又按至眞要大論云燥遥于内治以苦熱

癸未　癸丑歲

上大陰土　中少徵火運

新校正云詳癸未癸丑左右二火爲間相佐又五月戊午干德符癸見戊而氣全水來行勝爲正徵

下大陽水　寒化雨化勝復同邪氣化度也災九宫雨化五火化二寒化一新校正云詳癸未寒化一癸丑寒化六正化度也其化上苦温中鹹温下甘熱藥食宜也

新校正云按玄珠云上酸和下甘温又按至真要大論云濕淫所勝平以苦熱寒淫于内

治以甘熱

甲申 甲寅歲

上少陽相火 中太宫土運

新校正云詳甲寅之歲小異於甲申以寅木可刑土氣之平也

下厥陰木 火化二

新校正云詳甲申火化七甲寅火化二

雨化五風化八

新校正云詳甲申風化三甲寅風化八

正化度也其化上鹹寒中鹹和下辛凉藥食宜

也

乙酉太一天符乙卯歲天符

上陽明金 中少商金運

新校正云按乙酉爲正商以酉金相佐故得平氣乙卯之年二之氣君火分中火來行勝水未行復其氣以平以三月庚辰乙得庚合金運正商其氣乃平

下少陰火 熱化寒化勝復同邪氣化度也災七宮燥化四

新校正云詳乙酉燥化四乙卯燥化九

清化四熱化二

新校正云詳乙酉熱化七乙卯熱化二

正化度也其化上苦小温中苦和下鹹寒藥食

宜也

丙戌天符 丙辰歲天符

上大陽水 中大羽水運 下大陰土 寒化六新校正云詳此以運與司天俱水運故只言寒化六寒化六者大羽之運化也若大陽司天之化則丙戌寒化一丙辰寒化六

雨化五正化度也其化上苦熱中鹹溫下甘熱藥食宜也新校正云按玄珠云上甘溫下酸平又按至眞要大論云寒淫所勝平以辛熱濕淫于內治以苦熱

丁亥天符 丁巳歲天符

上厥陰木　中少角木運

新校正云詳丁年正月壬寅丁得壬合爲干德符爲正角平氣

下少陽相火　清化熱化勝復同邪氣化度也

災三宫風化三

新校正云詳此運與司天俱木故只言風化三風化三者少角之運化也若厥陰司天之化則丁亥風化八丁巳風化八

火化七

新校正云詳丁亥熱化二丁巳熱化七

正化度也其上化辛涼中辛和下鹹寒藥食宜也

戊子天符　戊午歲太一天符

上少陰火 中大徵火運 下陽明金

熱化七新校正云詳此運與司天俱火故只言熱化七熱化七者大徵之運化也若少陰司天之化則戊子熱化七戊午熱化一清化九新校正云詳戊子請化九戊午清化四正化度也其化上鹹寒中甘寒下酸溫藥食宜也新校正云按玄珠云下苦熱又按至真要大論云燥淫于內治以苦溫

己丑太一天符己未歲太一天符

上大陰土　中少宮土運新校正云詳是歲木得初氣而來勝脾乃病久土至危金乃來復至九月甲戌月已得甲合土還正宮

下大陽水　風化清化勝復同邪氣化度也災五宮

雨化五新校正云詳此運與司天俱土故只言雨化五

寒化一新校正云詳己丑寒化六己未寒化一

正化度也其化上苦熱中甘和下甘熱藥食宜

也
新校正云按玄珠云上酸平又按至真要大論云濕淫所勝平以苦熱

庚寅　庚申歲

上少陽相火　中大商金運

新校正云詳庚寅歲爲正商得平氣以上見少陽相火下剋於金運不能大過庚申之歲申爲金佐之乃爲大商

下厥陰木　火化七

新校正云詳庚寅熱化二庚申熱化七

清化九風化三

新校正云詳庚寅風化八庚申風化三

正化度也其化上鹹寒中辛溫下辛涼藥食宜也

辛卯　辛酉歲

上陽明金　中少羽水運 新校正云詳此歲七月丙申水還正羽

下少陰火　雨化風化勝復同邪氣化度也災一宮清化九 新校正云詳辛卯燥化九辛酉燥化四

寒化一熱化七 新校正云詳辛卯熱化二辛酉熱化七

正化度也其化上苦小溫中苦和下鹹寒藥食宜也

壬辰　壬戌歲

上大陽水　中大角木運　下大陰土

寒化六新校正云詳壬辰寒化六壬戌寒化一風化八雨化五正化度也其化上苦溫中酸和下甘溫藥食宜也新校正云按玄珠云上甘溫下酸平又按至眞要大論云寒淫所勝平以辛熱濕淫于内治以苦熱

癸巳同歲會　癸亥同歲會

上厥陰木　中少徵火運

新校正云：詳癸巳正徵火氣平，一謂巳爲火，亦名歲會；二謂水未得化；三謂五月戊午，癸得戊合，故得平氣。癸亥之歲，亥爲水，水得年力，便來行勝，至五月戊午月，還正徵，其正氣始平。

下少陽相火　寒化雨化勝復同邪氣化度也

癸九宫風化八

新校正云：詳癸巳風化八，癸亥風化三。

火化二

新校正云：詳此運與在泉俱火，故只言火化二。火化二者，少徵火運之化也。若少陽在泉

之化則癸巳熱化七癸亥熱化二

正化度也其化上辛凉中鹹和下鹹寒藥食宜也

凡此定期之紀勝復正化皆有常數不可不察故知其要者一言而終不知其要流散無窮此之謂也帝曰善五運之氣亦復歲乎

復報也先有勝制則後必復也

岐伯曰鬱極迺發待時而作也

待謂五及差分位也大溫發於辰巳大熱發於未申大涼發於戌亥大寒發於丑寅上件所勝臨之亦待間氣而發故曰待時也○新校正云詳註及字疑作氣

帝曰請問其所謂也岐伯曰五常之氣大過不及其發異也歲大過其發早歲不及其發晚

帝曰願卒聞之岐伯曰大過者暴不及者徐暴者爲病甚徐者爲病持持謂相執持也

帝曰大過不及其數何如岐伯曰大過者其數成不及者其數生土常以生也數謂五常化行之數也水數一火數二木數三金數四土數五成數謂水數六火數七木數八金數九土數五也故曰土常以生也數生者各取其生數多少以占故政令德化勝

復之休作日及尺寸分毫並以準之此蓋都明諸用者也

帝曰其發也何如岐伯曰土鬱之發巖谷震驚雷殷氣交埃昏黃黑化爲白氣飄驟高深

鬱謂鬱抑天氣之甚也故雖天氣亦有涯也終則衰故雖鬱者怒發也土化不行炎亢無雨木盛過極故鬱怒發焉土性靜定至動也雷雨大作而木土相持之氣乃休解也易曰雷雨作解此之謂也土雖獨怒木尚制之故但震驚於氣交之中而聲尚不能高遠也故曰雷殷氣交氣交謂土之上盡山之高也詩云殷其雷也所謂雷雨生於山中者土既抑鬱天木制之平川土薄氣常乾燥故不能先發也山原土厚濕化豐深土厚氣深故先怒發也

擊石飛空洪水迺從川流漫衍田牧土駒

疾氣驟雨岸落山化大水横流石勢迸急高山空谷擊石先飛而洪水隨至也洪大也巨川衍溢流漫平陸漂蕩塵後於粢盛大水去已石土危然若群駒散牧於田野凡言土者沙石同也

化氣迺敷善爲時雨始生始長始化始成

化土化也土被制化氣不敷否極則泰屈極則伸處怫之時化氣因之乃能敷布於庶類以時而雨滋澤草木而成也善謂應時也化氣既少長氣已過故萬物始生始長始化始成言是四始者明萬物化成之晚也

故民病心腹脹腸鳴而爲數後甚則心痛脇䐜嘔吐霍亂飲發注下胕腫身重

脾熱之生

雲奔雨府霞擁朝陽山澤埃昏其迺發也以其

四氣

雨府太陰之所在也埃白氣似雲而薄也埃固有微甚微者如紗穀之騰甚者如薄雲霧也甚者發近微者發遠四氣謂夏至後三十一日起盡至秋分日也

雲橫天山浮游生滅怫之先兆

天際雲横山猶冠帶巖谷叢薄乍滅乍生有土之見怫兆已彰皆平明占之浮游以午前候望也

金鬱之發天潔地明風清氣切大涼迺舉草樹浮烟燥氣以行霿霧數起殺氣來至草木蒼乾金迺有聲

大凉次寒也舉用事也浮烟燥氣也殺氣霜霧正殺氣者以丑時至長者亦卯時辰時也其氣之來色黄赤黑雜而至也物不勝殺故草木蒼乾蒼薄青色也

故民病欬逆心脇滿引少腹善暴痛不可反側嗌乾面塵色惡金勝而木病也

山澤焦枯土凝霜鹵怫鬱發也其氣五夏火炎亢時雨既愆故山澤焦枯土上凝白醎鹵狀如霜也五氣謂秋分後至立冬後五十四日内也

夜零白露林莽聲悽怫之兆也夜濡白露曉聽風悽有是乃爲金發徵也

水鬱之發陽氣迺辟陰氣暴擧大寒迺至川澤嚴凝寒雰結爲霜雪寒雰白氣也其狀如霧而不流行墜地如霜雪得日晞也甚則黃黑昏翳流行氣交迺爲霜殺水迺見祥黃黑亦濁惡氣水氣也祥大祥亦謂泉出平也故民病寒客心痛腰脽痛大關節不利屈伸不便善厥逆痞堅腹滿陰勝陽故陽光不治空積沉陰白埃昏瞑而迺發也其氣二火前後

陰精與水皆上承火故其發也在君相二火之前後亦猶辰星迎隨日也

大虛深玄氣猶麻散微見而隱色黑微黄怫之先兆也

深玄言高遠而黯黑也氣似散麻薄微可見之也寅後卯時候之夏月兼辰前之時亦可候也

木鬱之發大虛埃昏雲物以擾大風迺至屋發折木木有變

屋發謂發鴟吻折木謂大樹摧拔揩落懸竿中拉也變謂土生異木奇狀也

故民病胃脘當心而痛上支兩脇鬲咽不通食飲不下甚則耳鳴眩轉目不識人善暴僵仆

筋骨強直而不用卒倒而無所知也

大虛蒼埃天山一色或爲濁色黄黑鬱若橫雲不起雨而迺發也其氣無常

氣如塵如雲或黄黑鬱然猶在大虛之間而特異於常乃其候也

長川草偃柔葉呈陰松吟高山虎嘯巖岫怫之先兆也

草偃謂無風而自低柔葉謂白楊葉也無風而葉皆背見是謂呈陰如是者皆過微甚甚者發速微者發徐也山行之候則以松虎期之原行亦以麻黄爲候秋冬則以梧桐蟬葉候之

火鬱之發大虛腫翳大明不彰

腫翳謂赤氣也大明日也○新校正云詳經註中腫字疑誤

炎火行大暑至山澤燔燎材木流津廣厦騰烟土浮霜鹵止水迺減蔓草焦黄風行惑言濕化迺後太陰大陽在上寒濕流於大虛心火應天鬱抑而莫能彰顯寒濕盛已火迺與行陽氣火光故山澤燔燎井水減少妄作訛言雨已愆期也濕化迺後謂陽亢主時氣不爭長故先旱而後雨也

故民病少氣瘡瘍癰腫脇腹胷背面首四支䐜憤臚脹瘍痱嘔逆瘛瘲骨痛節迺有動注下温瘧腹中暴痛血溢流注精液迺少目赤心熱甚

則瞀悶懊憹善暴死

火鬱而怒爲土水相持客主皆然悉無深犯則無外也但熱已勝寒則爲摧敵而熱從心起是神氣孤危不速救之天真將竭故死火之用速故善暴死憹音農

刻終大溫汗濡玄府其迺發也其氣四

刻終謂晝刻水刻終晝之時也大溫次熱也玄府謂汗空也汗濡玄府謂早行而身蒸熱也刻盡之時陰盛於此反無凉氣是陰不勝陽熱既已萌故當怒發也○新校正云詳土火俱發四氣者何蓋火有二位爲水發之所又大熱發於申未故火鬱之發在四氣也

動復則靜陽極反陰濕令迺化迺成

火怒爍金陽極過亢畏火求救土中土救熱金發爲飄驟繼爲時雨氣迺和平故萬物由是迺生長化成壯極則反盛亦何長也

華發水凝山川冰雪焰陽午澤怫之先兆也謂君火王時有寒至也故歲君火發亦待時也有怫之應而後報也皆觀其極而迺發也木發無時水隨火也應爲先兆發必後至故先應而後發也物不可以終壯觀其壯極則怫氣作焉有鬱則發氣之常也謹候其時病可與期失時反歲五氣不行生化收藏政無恒也人失其時則候無期準也

帝曰水發而雹雪土發而飄驟木發而毀折金

發而清明火發而曛昧何氣使然歧伯曰氣有多少發有微甚微者當其氣甚者兼其下徵其下氣而見可知也

六氣之下各有承氣也則如火位之下水氣承之水位之下土氣承之土位之下木氣承之木位之下金氣承之金位之下火氣承之君位之下陰精承之各微其下則象可見矣故發兼其下則與本氣殊異

帝曰善五氣之發不當位者何也

言不當其正月也

歧伯曰命其差

謂差四時之正月位也○新校正云按至真要大論云勝復之作動不當位或後時而至

其故何也岐伯曰夫氣之生化與其衰盛異也寒暑溫涼盛衰之用其在四維故陽之動始於溫盛於暑陰之動始於清盛於寒春夏秋冬各差其分故太要曰彼春之暖爲夏之暑彼秋之忿爲冬之怒謹按四維斥候皆歸其終可見其始可知彼論勝復之不當位此論五氣之發不當位所論勝復五發之事則異而命其差之義則同

帝曰差有數乎言日數也

岐伯曰後皆三十度而有奇也後謂四時之後也差三十日餘八十七刻半氣猶未去而甚盛也度日也四時之後今當爾○新校正云詳註云八十七刻半當作四十三刻又四十分刻之三十

帝曰氣至而先後者何

謂未應至而至大早應至而至反大遲之類也正謂氣至在期先後

岐伯曰運大過則其至先運不及則其至後此候之常也帝曰當時而至者何也岐伯曰非大過非不及則至當時非是者眚也

當時謂應日刻之期也非應先後至而有先後至者皆爲災眚災也

帝曰善氣有非時而化者何也岐伯曰大過者當其時不及者歸其己勝也

冬雨春凉秋熱夏寒之類皆爲歸己勝也

帝曰四時之氣至有早晏高下左右其候何如岐伯曰行有逆順至有遲速故大過者化先天

不及者化後天

氣有餘故化先氣不足故化後

帝曰願聞其行何謂也岐伯曰春氣西行夏氣北行秋氣東行冬氣南行

觀萬物生長收藏如斯言

故春氣始於下秋氣始於上夏氣始於中冬氣始於標春氣始於左秋氣始於右冬氣始於後夏氣始於前此四時正化之常

察物以明之可知也

故至高之地冬氣常在至下之地春氣常在

高山之巔盛夏氷雪汚下川澤嚴冬草生常在之義足明矣○新校正按五常政大論云地有高下氣有溫涼高者氣寒下者氣熱

必謹察之帝曰善天地陰陽視而可見何必思諸冥昧演法推求智極心勞而無所得耶

黃帝問曰五運六氣之應見六化之正六變之紀何如岐伯對曰夫六氣正紀有化有變有勝有復有用有病不同其候帝欲何乎帝曰願盡聞之岐伯曰請遂言之遂盡也

夫氣之所至也厥陰所至爲和平

初之氣木之化

少陰所至爲暄

二之氣君火也

太陰所至爲埃溽

四之氣土之化

少陽所至爲炎暑

三之氣相火也

陽明所至爲清勁

五之氣金之化

太陽所至爲寒雰

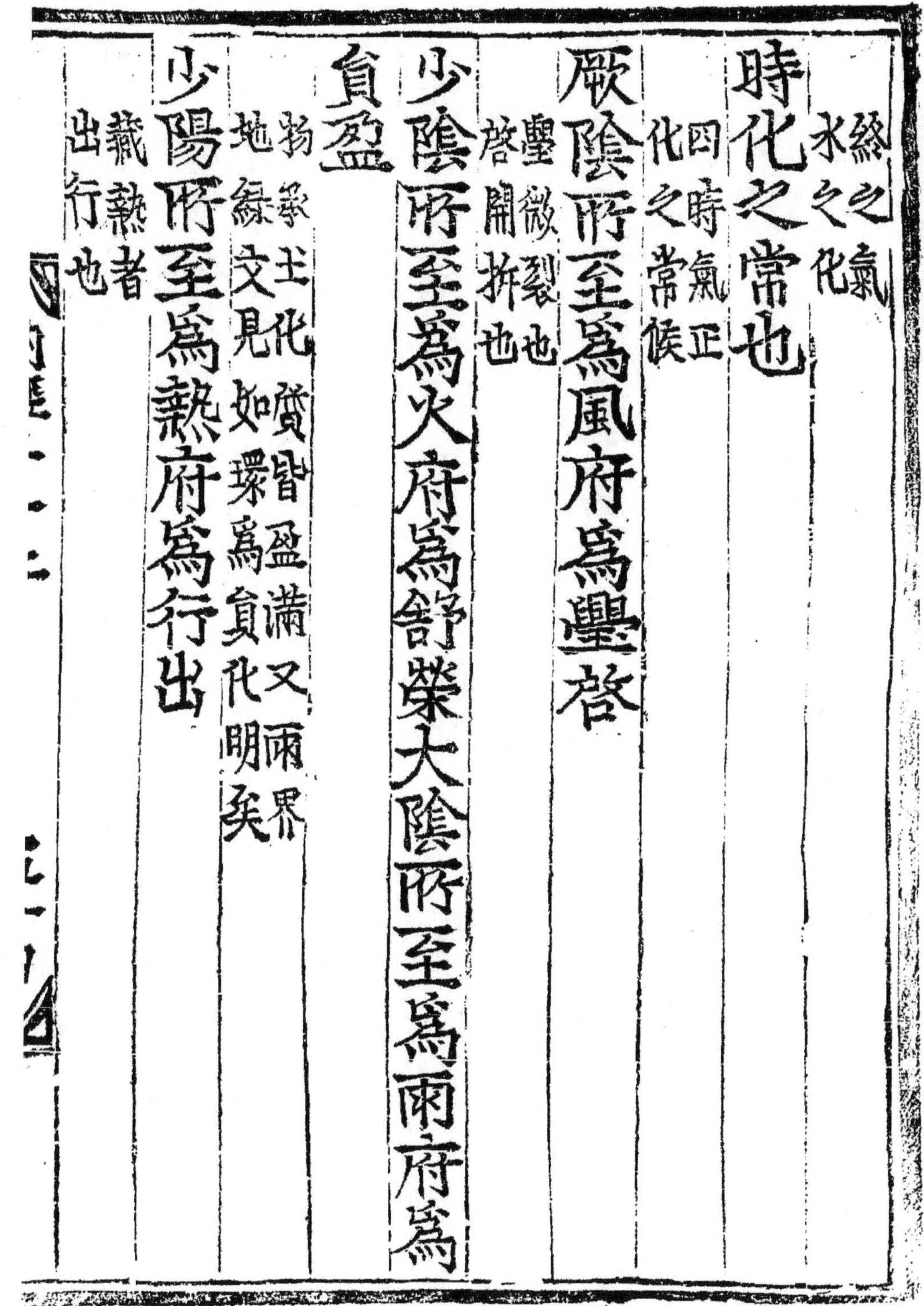

終之氣水之化

時化之常也

四時氣正化之常候

厥陰所至爲風府爲璺啓

璺微裂也啓開拆也

少陰所至爲火府爲舒榮太陰所至爲雨府爲員盈

物承土化質皆盈滿又雨界地緑文見如環爲員化明矣

少陽所至爲熱府爲行出

藏熱者出行也

陽明所至爲司殺府爲庚蒼庚更也更易也代也

大陽所至爲寒府爲歸藏物寒故歸藏也

司化之常也厥陰所至爲生爲風摇木之化

少陰所至爲榮爲形見火之化

大陰所至爲化爲雲雨土之化

少陽所至爲長爲蕃鮮火之化

陽明所至爲收爲霧露金之化

太陽所至爲藏爲周密水之化

氣化之常也厥陰所至爲風生終爲肅風化以生則風生也肅靜也○新校正云按六微旨大論云風位之下金氣承之故厥陰爲風生而終爲肅也

少陰所至爲熱生中爲寒

熱化以生則熱生也陰精承上故中爲寒也○新校正云按六微旨大論云少陰之上熱氣治之中見太陽故爲熱生而中爲寒也又云君位之下陰精承之亦爲寒之義也

太陰所至爲濕生終爲注雨

濕化以生則濕生也太陰在上故終爲注雨○新校正云按六微旨大論云土位之下風氣承之王注云疾風之後雨乃零濕爲風吹化而爲雨故大陰爲濕生而終爲注雨也

少陽所至爲火生終爲蒸溽

火化以生則火生也陽在上故終爲蒸溽○新校正云按六微旨大論云相火之下水氣承之故少陽爲火生而終爲蒸溽也

陽明所至爲燥生終爲涼

燥化以生則燥生也陰在上故終爲涼○新校正云詳此六氣俱先言本化次言所反之

氣而獨陽明之化言燥生終爲涼未見所反之氣再尋上下文義當云陽明所至爲涼生終爲燥方與諸氣之義同貫盖以金位之下火氣承之故陽明爲清生而終爲燥也

大陽所至爲寒生中爲溫

寒化以生則寒生也陽在內故中爲溫○新校正云按五運行大論云大陽之上寒氣治之中見少陰故爲寒生而中爲溫

德化之常也

風生毛形熱生翮形濕生倮形火生羽形燥生介形寒生鱗形六化皆爲主歲及間氣所在而各化生常無替也非德化則無能化生也[illegible]胡華反

厥陰所至爲毛化

形之有毛者

少陰所至爲羽化有羽翮飛行之類

大陰所至爲倮化無毛羽鱗甲之類

少陽所至爲羽化薄明羽翼蜂蟬之類非翎羽之羽也

陽明所至爲介化有甲之類

大陽所至爲鱗化身有鱗也

德化之常也厥陰所至爲生化

温化也

少陰所至爲榮化

暄化也

太陰所至爲濡化

濕化也

少陽所至爲茂化

熱化也

陽明所至爲堅化

凉化也

大陽所至爲藏化寒化也

布政之常也厥陰所至爲飄怒大凉飄怒木也大凉下承之金氣也

少陰所至爲大暄寒大暄君火也寒下承之陰精也

大陰所至爲雷霆驟注烈風雷霆驟注土也烈風下承之木氣也

少陽所至爲飄風燔燎霜凝飄風旋轉風也霜凝下承之水氣也

陽明所至爲散落溫

散落金也溫下承之火氣也

大陽所至爲寒雪冰雹白埃

霜雪冰雹水也白埃下承之土氣也

氣變之常也

變謂變常平之氣而爲甚用也用甚不已則下承之氣兼行故皆非本氣也

厥陰所至爲撓動爲迎隨

風之性也

少陰所至爲高明焰爲曛

焰陽焰也曛赤黄色也

大陰所至爲沉陰爲白埃爲晦瞑暗蔽不明也

少陽所至爲光顯爲彤雲爲曛光顯電也流光也明也彤赤色也彤陰氣同

陽明所至爲煙埃爲霜爲勁切爲悽鳴殺氣也

大陽所至爲剛固爲堅芒爲立寒化也

令行之常也令行則無物無違

厥陰所至爲裏急

筋緛縮故急

少陰所至爲瘍胗身熱

火氣生也

太陰所至爲積飲否隔

土氣也

少陽所至爲嚏嘔爲瘡瘍

火氣生也

陽明所至爲浮虛

浮虛薄腫按之復起也

慓

大陽所至爲屈伸不利病之常也厥陰所至爲支痛少陰所至爲驚惑惡寒戰慓譫妄

譫亂言也今詳慓字當作慄

大陰所至爲穡滿少陽所至爲驚躁瞀昧暴病陽明所至爲鼽尻陰股膝髀腨䯒足病大陽所至爲腰痛病之常也厥陰所至爲緛戾少陰所至爲悲妄衄衊

衊汗血亦脂也

大陰所至爲中滿霍亂吐下少陽所至爲喉痺耳鳴嘔涌

痛謂嗌食不下也

陽明所至爲脇痛皴揭

身皮皴象

大陽所至爲寢汗痓

寢汗謂睡中汗發於胷嗌頸腋之間也俗誤呼爲盜汗痓巨郢切

病之常也厥陰所至爲脇痛嘔泄

泄謂利也

少陰所至爲語笑大陰所至爲重胕腫

胕腫謂肉泥按之不起也

少陽所至爲暴注瞤瘛暴死陽明所至爲鼽嚏

大陽所至爲流泄禁止病之常也凡此十二變者報德以德報化以化報政以政報令以令氣高則高氣下則下氣後則後氣前則前氣中則中氣外則外位之常也氣報德報化謂天地氣也高下前後中外謂生病所也手之陰陽其氣高足之陰陽其氣下足大陽氣在身後足陽明氣在身前足少陰大陰厥陰氣在身中足少陽氣在身側各隨所在言氣變生病象也

故風勝則動不寧也○新校正云詳風勝則動至濕勝則濡泄五句與陰陽應象大論文重而註不同

熱勝則腫

熱勝氣則爲丹熛勝血則爲癰膿勝骨肉則爲胕腫按之不起

燥勝則乾

乾於外則皮膚皴揭乾於內則精血枯涸乾於氣及津液則肉乾而皮著於骨

寒勝則浮

浮謂浮起按之起見也

濕勝則濡泄甚則水閉胕腫

濡泄水利也胕腫肉泥按之陷而不起也水閉則逸於皮中也

隨氣所在以言其變耳帝曰願聞其用也岐伯曰夫六氣之用各歸不勝而爲化

用謂施其化氣

故大陰雨化施於大陽大陽寒化施於少陰新校正云詳此當云少陰少陽少陰熱化施於陽明陽明燥化施於厥陰厥陰風化施於大陰大陰各命其所在以徵之也帝曰自得其位何如岐伯曰自得其位常化也帝曰願聞所在也岐伯曰命其位而方月可知也隨氣所在以定其方六分占之則月及地分無差也

帝曰六位之氣盈虚何如岐伯曰大少異也大者之至徐而常少者暴而亡力強而作不能久長故暴而無也亡無也

帝曰：天地之氣，盈虛何如？岐伯曰：天氣不足，地氣隨之；地氣不足，天氣從之；運居其中而常先也。

運謂木火土金水各主歲者也。地氣勝則歲運上升，天氣勝則歲運下降。上升下降，運氣常先遷降也。

惡所不勝，歸所同和，隨運歸從而生其病也。

非其位則變生，變生則病作。

故上勝則天氣降而下，下勝則地氣遷而上。

勝謂多也。上多則自降，下多則自遷，多少相移，氣之常也。○新校正云：按六微旨大論云：升已而降，降者謂天；降已而升，升者謂地。天氣下降，氣流于地；地氣上升，氣騰于天。故高

下相召升降相因而變作矣此亦升降之義也

勝多少而差其分

多則遷降多少則遷降少多少之應有微有甚之異也

微者小差甚者大差甚則位易氣交易則大變生而病作矣太要曰甚紀七分微紀五分其差可見此之謂也

以其七分五分之所以知天地陰陽過差矣

帝曰善論言熱無犯熱寒無犯寒余欲不遠寒不遠熱奈何歧伯曰悉乎哉問也發表不遠熱攻裏不遠寒

汗泄故用熱不遠熱下利故用寒不遠寒皆以其不住於中也如是則夏可用熱冬可用寒不發不泄而無畏忌是謂妄造法所禁也皆謂不獲已而用之也差秋冬亦同法○新校正云按至真要大論云發不遠熱無犯溫涼

帝曰不發不攻而犯寒犯熱何如岐伯曰寒熱內賊其病益甚以水濟水以火濟火適足以更生病豈唯本病之益甚乎

帝曰願聞無病者何如岐伯曰無者生之有者甚之無病者犯禁猶能生病況有病者而求輕減不亦難乎

帝曰生者何如岐伯曰不遠熱則熱至不遠寒

則寒至寒至則堅否腹滿痛急下利之病生矣

食已不飢吐利腥穢亦寒之疾也

熱至則身熱吐下霍亂癰疽瘡瘍瞀鬱注下瞤瘛腫脹嘔鼽衄頭痛骨節變肉痛血溢血泄淋閟之病生矣

暴瘖冒昧目不識人躁擾狂越妄見妄聞駡詈驚癇亦熱之病

帝曰治之柰何歧伯曰時必順之犯者治以勝也

春宜涼夏宜寒秋宜溫冬宜熱此時之宜用不可不順然犯熱治以寒犯寒治以熱犯春宜用涼犯秋宜用溫是以以勝也犯熱治以鹹寒犯寒治以甘熱犯涼治以苦溫犯溫治以

辛凉亦勝之道也

黄帝問曰婦人重身毒之何如岐伯曰有故無殞亦無殞也

故謂有大堅癥瘕痛甚不堪則治以破積愈癥之藥是謂不救必死盡死救之蓋存其大也雖服毒不死也上無殞言母必全亦無殞言子亦不死也

帝曰願聞其故何謂也岐伯曰大積大聚其可犯也衰其太半而止過者死

衰其太半不足以害生故衰太半則止其藥若過禁待盡毒氣內餘無病可攻以當毒藥毒攻不已則敗損中和故過則死○新校正云詳此婦人重身二節與上下文義不接疑他卷脫簡於此

帝曰善鬱之甚者治之柰何

天地五行應運有鬱折不伸之甚者

岐伯曰木鬱達之火鬱發之土鬱奪之金鬱泄之水鬱折之然調其氣

達謂吐之令其條達也發謂汗之令其疎散也奪謂下之令無壅礙也泄謂滲泄解表利小便也折謂抑之制其衝逆也通是五法乃氣可平調後乃觀其虛盛而調理之也

過者折之以其畏也所謂寫之

過大過也大過者以其味寫之以鹹寫腎酸寫肝辛寫肺甘寫脾苦寫心過者畏寫故謂寫為畏也

帝曰假者何如岐伯曰有假其氣則無禁也

正氣不足臨氣勝之假寒熱温凉以資囘正之氣則可以熱犯熱以寒犯寒以温犯温以凉犯凉也

所謂主氣不足客氣勝也

客氣謂六氣更臨之氣主氣謂五藏應四時正王春夏秋冬也

帝曰至哉聖人之道天地大化運行之節臨御之紀陰陽之政寒暑之令非夫子孰能通之請藏之靈蘭之室署曰六元正紀非齋戒不敢示慎傳也

新校正云詳此與氣交變大論末文重

○刺法論篇第七十二亡

○本病論篇第七十三亡

新校正云詳此二篇亡在王註之前按病能論篇末在王冰註云世本既闕第七二篇謂此二篇也而今世有素問亡篇及昭明隱旨論以謂此亡篇仍託名王氷爲註辭理鄙陋無足取者舊本此篇名在六元正紀論後列之爲後人移於此若以尚書亡篇之名皆在前篇之末則舊本爲得

新刊補註釋文黄帝内經素問卷之十一上

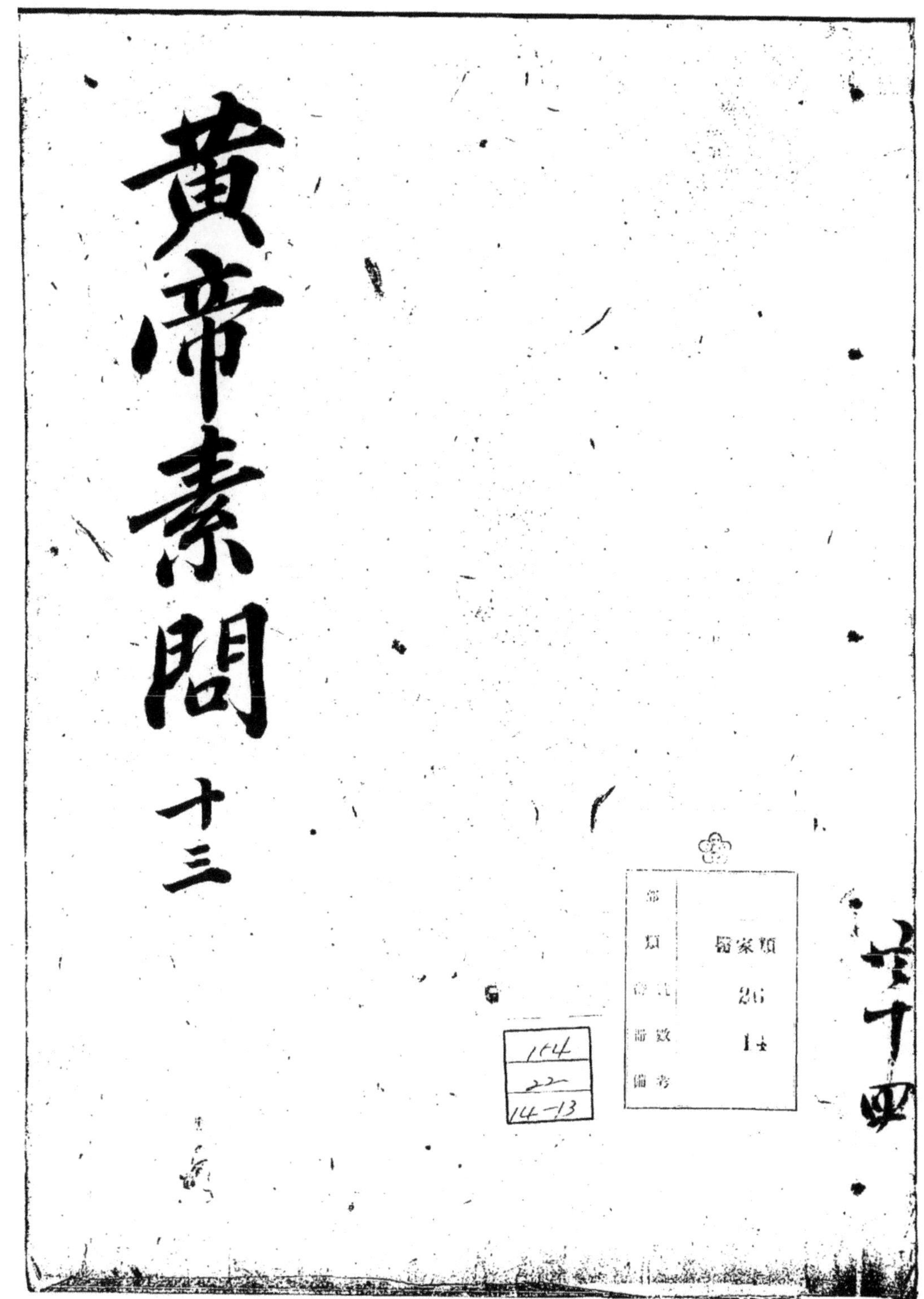
黃帝素問
十三

新刊補註釋文黃帝内經素問卷之十一下

㊀至眞要大論篇第七十四

黃帝問曰：五氣交合，盈虛更作，余知之矣。六氣分治，司天地者，其至何如？

五行主歲，歲有少多，故曰盈虛更作也。天元紀大論曰：其始也，有餘而往，不足隨之；不足而往，有餘從之。則其義也。天分六氣，散主太虛，三之氣司天，終之氣監地，天地生化，是爲大紀，故言司天地者，餘四可知矣。

岐伯再拜對曰：明乎哉問也！天地之大紀，人神之通應也。

天地變化，人神運爲，中外雖殊，然其通應則一也。

帝曰願聞上合昭昭下合冥冥奈何岐伯曰此道之所主工之所疑也

不知其要流散無窮

帝曰願聞其道也岐伯曰厥陰司天其化以風

飛揚鼓拆和氣發生萬物榮苦皆因而化變成敗也

少陰司天其化以熱

炎蒸鬱燠故庶類蕃茂

大陰司天其化以濕

雲雨潤澤津液生成

少陽司天其化以火

炎熾赫烈以爍寒災

陽明司天其化以燥

乾化以行物無濕敗

大陽司天其化以寒

對陽之化也○新校正云詳註云對陽之化陽字疑誤

以所臨藏位命其病者也

肝木位東方心火位南方脾土位西南方及四維肺金位西方腎水位北方是五藏定位然六氣御五運所至氣不相得則病相得則和故先以六氣所臨後言五藏之病也

帝曰地化柰何岐伯曰司天同候間氣皆然

六氣之本自有常性故雖位易而化治皆同

帝曰間氣何謂岐伯曰司左右者是謂間氣也六氣分化常以二氣司天地爲上下吉凶勝復客主之理歲中悔吝從而明之餘四氣散居左右也故陰陽應象大論曰天地者萬物之上下左右者陰陽之道路此之謂也

帝曰何以異之岐伯曰主歲者紀歲間氣者紀步也歲三百六十五日四分日之一步六十日餘八十七刻半也積步之日而成歲也

帝曰善歲主奈何岐伯曰厥陰司天爲風化巳亥之歲風高氣遠雲飛物揚風之化也在泉爲酸化寅申之歲木司地氣故物化從酸

司氣爲蒼化

木運之氣丁壬之歲化蒼青也

間氣爲動化

徧主六十日餘八十七刻半也○新校正云詳丑未之歲厥陰爲初之氣子午之歲爲二之氣辰戌之歲爲四之氣卯酉之歲爲五之氣

少陰司天爲熱化

子午之歲陽光熠燿暄暑流行熱之化也熠羊入切

在泉爲苦化

卯酉之歲火司地氣故物以苦生

不司氣化

君不主運○新校正云按天元紀大論云君火以名相火以位謂君火不主運也

居氣爲灼化

六十日餘八十七刻半也居本位君火爲居不當間之也○新校正云詳少陰不曰間氣而云居氣者蓋尊君火無所不居不當間之也王註云居本位爲居不當間之則居他位不爲居而可間也寅申之歲爲初之氣丑未之歲爲二之氣巳亥之歲爲四之氣辰戌之歲爲五之氣

大陰司天爲濕化

丑未之歲埃欝曚昧雲雨潤濕之化也

在泉爲甘化

辰戌之歲也主司地氣故甘化先焉

司氣爲黅化

土運之氣甲己之歲黅黃也

間氣爲柔化

濕化行則庶物柔耎○新校正云詳大陰卯酉之歲爲初之氣寅申之歲爲二之氣子午之歲爲四之氣巳亥之歲爲五之氣

少陽司天爲火化

寅申之歲也炎光赫烈燔灼焦然火之化也

在泉爲苦化

巳亥之歲也火司地氣故苦化先焉

司氣爲丹化

火運之氣戊癸歲也

間氣爲明化

明炳明也亦謂霞燒〇新校正云詳少陽辰戌之歲爲初之氣卯酉之歲爲二之氣寅申之歲爲四之氣丑未之歲爲五之氣

陽明司天爲燥化

卯酉之歲清切高明霧露蕭瑟燥之化也

在泉爲辛化

子午之歲也金司地氣故辛化先焉

司氣爲素化

金運之氣乙庚歲也

間氣爲清化

風生高勁草木清冷清之化也○新校正云詳陽明巳亥之歲爲初之氣辰戌之歲爲二之氣寅申之歲爲四之氣丑未之歲爲五之氣

大陽司天爲寒化

辰戌之歲嚴肅峻整慘慄凝堅寒之化也

在泉爲鹹化

丑未之歲水司地氣故化從鹹

司氣爲玄化

水運之氣丙辛歲也

間氣爲藏化

陰凝而冷庶物斂容歲之化也○新校正云詳子午之歲大陽爲初之氣巳亥之歲爲二之氣卯酉之歲爲四之氣寅申之歲爲五之氣

故治病者必明六化分治五味五色所生五藏所宜迺可以言盈虛病生之緒也

學不厭備習也

帝曰厥陰在泉而酸化先余知之矣風化之行也何如岐伯曰風行于地所謂本也餘氣同法

厥陰在泉風行于地少陰在泉熱行于地大陰在泉濕行于地少陽在泉火行于地陽明在泉燥行于地大陽在泉寒行于地故曰餘氣同法也本謂六氣之上元氣也

本乎天者天之氣也本乎地者地之氣也

化於天者爲天氣化於地者爲地氣○新校正云按易曰本乎天者親上本乎地者親下此之謂也

天地合氣六節分而萬物化生矣

萬物居天地之間悉爲六氣所生化陰陽之用未嘗有逃生化出陰陽也

故曰謹候氣宜無失病機此之謂也

病機下文具矣

帝曰其主病何如

言采藥之歲也

岐伯曰司歲備物則無遺主矣

謹候司天地所生化者則其味正當其歲也故彼藥工專司歲氣所收藥物則一歲二歲

其所主用無遺略也○今詳則字當作用

帝曰先歲物何也歧伯曰天地之專精也

專精之氣藥物肥濃又於使用當其正氣味也○新校正云詳先歲疑作司歲

帝曰司氣者何如

司運氣也

歧伯曰司氣者主歲同然有餘不足也

五運主歲者有餘不足比之歲物恐有薄有餘之歲藥專精也

帝曰非司歲物何謂也歧伯曰散也

非專精則散氣散氣則物不純

故質同而異等也

形質雖同，力用則異，故不尚之

氣味有薄厚，性用有躁静，治保有多少，力化有淺深，此之謂也

物與歲不同者，何以此耳

帝曰：歲主藏害何謂？岐伯曰：以所不勝命之，則其要也

木不勝金，金不勝火之類是也

帝曰：治之柰何？岐伯曰：上淫于下，所勝平之；外淫于内，所勝治之

淫謂行所不勝己者也。上淫于下，天之氣也；外淫于内，地之氣也。隨所制勝而以平治之

也制勝謂五味寒熱温凉隨勝用之下文備矣○新校正云詳天氣主歲雖有淫勝但當平調之故不曰治而曰平也

帝曰善平氣何如

平謂診平和之氣

岐伯曰謹察陰陽所在而調之以平爲期正者正治反者反治

知陰陽所在則知尺寸應與不應不知陰陽所在則以得爲失以逆爲從故謹察之也陰病陽不病陽病陰不病是爲正病則正治之謂以寒治熱以熱治寒也陰位已見陽脉陽位又見陰脉是謂反病則反治之謂以寒治寒以熱治熱也諸方之制咸悉不然故曰反者反治也

帝曰夫子言察陰陽所在而調之論言人迎與寸口相應若引繩小大齊等命曰平新校正云詳論言至曰平本靈樞經之文今出甲乙經云寸口主中人迎主外兩者相應俱往俱來若引繩小大齊等春夏人迎微大秋冬寸口微大者名曰平也

陰之所在寸口何如陰之所在脉沉不應引繩齊等其候頗乖故問以明之

岐伯曰視歲南北可知之矣帝曰願卒聞之岐伯曰北政之歲少陰在泉則寸口不應木火金水運面北受氣凡氣之在泉者脉悉不見唯其左右之氣脉可見之在泉之氣善則不見惡者可見病以氣及客主淫勝名之在天之氣其亦然矣

厥陰在泉則右不應少陰在右故大陰在泉則左不應少陰在左故南政之歲少陰司天則寸口不應土運之歲面南行令故少陰司天則二手寸口不應也厥陰司天則右不應大陰司天則左不應亦左右義也諸不應者反其診則見矣不應皆爲脉沉脉沉下者仰手而沉覆其手則沉爲浮細爲大也

帝曰尺候何如歧伯曰北政之歲三陰在下則寸不應三陰在上則尺不應

司天曰上在泉曰下

南政之歲三陰在天則寸不應三陰在泉則尺不應左右同

尺不應寸左右悉與寸不應義同

故曰知其要者一言而終不知其要流散無窮此之謂也

要謂知陰陽所在也知則用之不惑不知則尺寸之氣沉浮小大常三歲一差欲求其意猶遶樹問枝雖白首區區尚未知所詣況其旬月而可知乎

帝曰善天地之氣內淫而病何如岐伯曰歲厥陰在泉風淫所勝則地氣不明平野昧草迺早秀民病洒洒振寒善伸數欠心痛支滿兩脇裏急飲食不下鬲咽不通食則嘔腹脹善噫得後與氣則快然如衰身體皆重

謂甲寅丙寅戊寅庚寅壬寅甲申丙申戊申庚申壬申歲也地氣不明謂天圍之際氣色昏暗風行地上故平野皆然昧謂暗也脇謂兩乳之下及胠外也伸謂以欲伸努筋骨也○新校正云按甲乙經洒洒振寒善伸數欠爲胃病食則嘔腹脹善噫得後與氣則快然如衰身體皆重爲脾病飲食不下鬲咽不通邪在胃管也蓋厥陰在泉之歲木王而剋脾胃故病如是又按脉解云所謂食則嘔者物盛滿而上溢故嘔也所謂得後與氣則快然

如衰者十二月陰氣下衰而陽氣且出故曰得後與氣則快然如衰也

歲少陰在泉熱淫所勝則焰浮川澤陰處反明民病腹中常鳴氣上衝胸喘不能久立寒熱皮膚痛目瞑齒痛䪼腫惡寒發熱如瘧少腹中痛腹大蟄蟲不藏

謂乙卯丁卯己卯辛卯癸卯乙酉丁酉己酉辛酉癸酉歲也陰處北方也不能久立足無力也腹大謂心氣不足也金火相薄而爲是也○新校正云按甲乙經齒痛䪼腫爲大腸病腹中雷鳴氣上衝胸喘不能久立邪在大腸也盖少陰在泉之歲火剋金故大腸病也

歲大陰在泉草乃早榮

新校正云詳此四字疑衍

濕淫所勝則埃昏巖谷黃反見黑至陰之交民病飲積心痛耳聾渾渾焞焞嗌腫喉痹陰病血見少腹痛腫不得小便病衝頭痛目似脫項似拔腰似折髀不可以回膕如結腨如別

謂甲辰丙辰戊辰庚辰壬辰甲戌丙戌戊戌庚戌壬戌歲也大陰爲土色見應黃於天中而反見於北方黑處也水土同見故曰至陰之交合其氣色也衝頭痛謂腦後眉間痛也膕謂膝後曲脚之中也腨胻後軟肉處也○新校正云按甲乙經耳聾渾渾焞焞嗌腫喉痹爲三焦病爲病衝頭痛目似脫項似拔腰似折髀不可以回膕如結腨如別爲膀胱足大陽病又小腹腫痛不得小便邪在三焦蓋大陰在泉之歲土王剋大陽故病如是也

膕戈麥切

歲少陽在泉火淫所勝則焰明郊野寒熱更至民病注泄赤白少腹痛溺赤甚則血便少陰同候

謂乙巳丁巳己巳辛巳癸巳乙亥丁亥己亥辛亥癸亥歲也處寒之時熱更其氣熱氣既往寒氣後來故云更至也餘候與少陰在泉正同

歲陽明在泉燥淫所勝則霿霧清瞑民病喜嘔嘔有苦善大息心脇痛不能反側甚則嗌乾面塵身無膏澤足外反熱

謂甲子丙子戊子庚子壬子甲午丙午戊午庚午壬午歲也霿霧謂霿暗不分似霧也清薄寒也言霧起霿暗不辨物形而薄寒也心脇痛謂心之傍脇中痛也面塵謂面上如有

觸冒塵土之色也○新校正云按甲乙經病喜嘔嘔有苦善大息心脇痛不能反側甚則面塵身無膏澤足外反熱爲膽病嗌乾面塵爲肝病蓋陽明在泉之歲金王剋木故病如是又按脉解云少陽所謂心脇痛者言少陽盛也盛者心之所表也九月陽氣盡而陰氣盛故心脇痛所謂不可反側者陰氣藏物也物藏不得動故不可反側也

歲太陽在泉寒淫所勝則凝肅慘慄民病少腹控睪引腰脊上衝心痛血見嗌痛頷腫

謂乙丑丁丑己丑辛丑癸丑乙未丁未己未辛未癸未歲也凝肅謂寒氣靄空凝而不動萬物靜肅其儀形也慘慄寒甚也控引也睪陰丸也頷頰車前牙之下也○新校正云按甲乙經嗌痛頷腫爲小腸病又少腹控睪引腰脊上衝心肺邪在小腸也蓋太陽在泉之歲水剋火故病如是

帝曰善治之柰何岐伯曰諸氣在泉風淫于內治以辛涼佐以苦以甘緩之以辛散之

風性喜溫而惡清故治之涼是以勝氣治之也佐以苦隨其所利也木苦急則以甘緩之若抑則以辛散之藏氣法時論曰肝苦急急食甘以緩之肝欲散急食辛以散之此之謂也食亦音飼己曰食他曰飼也大法正味如此諸為方者不必盡用之但一佐二佐病已則止餘氣皆然

熱淫于內治以鹹寒佐以甘苦以酸收之以苦發之

熱性惡寒故治以寒也熱之大盛甚於表者以苦發之不盡復寒制之寒制不盡復苦發之以酸收之甚者再方微者一方可使必已時發時止亦以酸收之

濕淫于內治以苦熱佐以酸淡以苦燥之以淡泄之

濕與燥反故治以苦熱佐以酸淡也燥除濕故以苦燥其濕也淡利竅故以淡滲泄也藏氣法時論曰脾苦濕急食苦以燥之靈樞經曰淡利竅也生氣通天論曰味過於苦脾氣不濡胃氣乃厚明苦燥也○新校正云按六元正紀大論曰下大陰其化下甘温

火淫于內治以鹹冷佐以苦辛以酸收之以苦發之

火氣大行心腹心怒之所生也鹹性柔耎故以治之以酸收之大法候其須汗者以辛佐之不必要資苦味令其汗也欲柔耎者以鹹治之藏氣法時論曰心欲耎急食鹹以耎之心苦緩急食酸以收之此之謂也

燥淫于內，治以苦溫，佐以甘辛，以苦下之。溫利涼性，故以苦治之。下謂利之，使不得也。○新校正云：按《藏氣法時論》曰：肺苦氣上逆，急食苦以泄之，以辛寫之，酸補之。又按下文司天燥淫所勝，佐以酸辛，此云甘辛者，甘字疑當作酸。《六元正紀大論》云：下酸熱與苦溫之治又異。又云：以酸收之，而安其下，甚則以苦泄之也。

寒淫于內，治以甘熱，佐以苦辛，以鹹寫之，以辛潤之，以苦堅之。以熱治寒，是爲攉勝，折其氣用，令不滋繁也。苦辛之佐，通事行之。○新校正云：按《藏氣法時論》曰：腎苦燥，急食辛以潤之；腎欲堅，急食苦以堅之；用苦補之，鹹寫之。舊註引此在濕淫于內之下，無義，今移於此。

帝曰善天氣之變何如岐伯曰厥陰司天風淫所勝則大虛埃昏雲物以擾寒生春氣流水不冰民病胃脘當心而痛上支兩脇鬲咽不通飲食不下舌本強食則嘔冷泄腹脹溏泄瘕水閉蟄蟲不出病本于脾謂乙巳丁巳己巳辛巳癸巳乙亥丁亥己亥辛亥癸亥歲也是歲民病集於中也風自天行故大虛埃起風動飄蕩故雲物擾也埃青塵也不分遠物是爲埃昏土之爲病其善泄利若病水則小便閉而不下若大泄利則經水亦多閉絶也○新校正云按甲乙經舌本強食則嘔腹脹溏泄瘕水閉爲脾病又胃病者腹脹胃脘當心而痛上支兩脇鬲咽不通食飲不下蓋厥陰司天之歲木勝己故病如是

衝陽絕死不治

衝陽在足跗上動脉應手胃之氣也衝陽脉微則食飲减少絕則藥食不入亦下嗌還出也攻之不入養之不生邪氣日强眞氣內絕故其必死不可復也

少陰司天熱淫所勝怫熱至火行其政民病胷中煩熱嗌乾右胠滿皮膚痛寒熱欬喘大雨且至唾血血泄鼽衄嚏嘔溺色變甚則瘡瘍胕腫肩背臂臑及缺盆中痛心痛肺䐜腹大滿膨膨而喘欬病本于肺

謂甲子丙子戊子庚子壬子甲午丙午戊午庚午壬午歲也怫熱至是火行其政乃爾是歲民病集於右盖以小腸通心故也病自肺生故曰病本于肺也○新校正云按甲乙經

弱色變肩背臂臑及缺盆中痛腹脹滿膨膨而喘欬爲肺病鼽衄爲大腸病盖少陰司天之歲火尅金故病如是又王註民病集於右以小腸通心故按甲乙經大腸附脊左環回腸附脊右環所說不應得非火盛尅金而大腸病歟

尺澤絶死不治

尺澤在肘內廉大文中動脉應手肺之氣也火爍於金承天之命金氣內絶故必危亡尺澤不至肺氣已絶榮衛之氣宣行無主真氣內竭生之何有哉

太陰司天濕淫所勝則沉陰旦布雨變枯槁胕腫骨痛陰痺陰痺者按之不得腰脊頭項痛時眩大便難陰氣不用飢不欲食欬唾則有血心如懸病本于腎

謂乙丑丁丑己丑辛丑癸丑乙未丁未己未辛未癸未歲也沉久也腎氣受邪水無能潤下焦枯涸故大便難也○新校正云按甲乙經飢不欲食欬唾則有血心懸如飢狀爲腎病又邪在腎則骨痛陰痺陰痺者按之而不得腹脹腰痛大便難肩背頸項強痛時眩蓋大陰司天之歲土剋水故病如是

太谿絕死不治

太谿在足內踝後跟骨上動脉應手腎之氣也土邪勝水而腎氣內絕邪甚正微故方無所用矣

少陽司天火淫所勝則温氣流行金政不平民病頭痛發熱惡寒而瘧熱上皮膚痛色變黃赤傳而爲水身面胕腫腹滿仰息泄注赤白瘡瘍

欬唾血煩心胷中熱甚則鼽衄病本于肺謂甲寅丙寅戊寅庚寅壬寅甲申丙申戊申庚申壬申歲也火來用事則金氣受邪故曰金政不平也火炎於上金肺受邪客熱內燔水無能救故化生諸病也制火之客則已矣○新校正云按甲乙經邪在肺則皮膚痛發寒熱蓋少陽司天之歲火尅金故病如是

天府絶死不治天府在肘後內側上掖下同身寸之三寸動脉應手肺之氣也火勝而金脉絶故死

陽明司天燥淫所勝則木迺晚榮草迺晚生筋骨內變民病左胠脇痛寒清于中感而瘧大涼革候欬腹中鳴注泄鶩溏名木斂生菀于下草焦上首心脇暴痛不可反側嗌乾面塵腰痛丈

夫癩疝婦人少腹痛目眛皆瘍瘡痤癰蟄蟲來見病本于肝

謂乙卯丁卯己卯辛卯癸卯乙酉丁酉己酉辛酉癸酉歲也金勝故草木晚生榮也配於人身則筋骨內應而不用也大凉之氣變易時候則人寒清發於中內感寒氣則爲痎瘧也大腸居右肺氣通之今肺氣內淫肝居于左故左胠脇痛如刺割也其歲民自注泄則無徭勝之疾也大凉次寒也大凉且甚陽氣不行故木容收斂草榮悉晚生氣已升陽不布令故閉積生氣而稸於下也在人之應則少腹之內痛氣居之發疾於仲夏瘡瘍之疾猶及秋中瘡痤之患生於上癰腫之類生於下瘡色雖赤中心正白物氣之常也○新校正云按甲乙經腰痛不可以俛仰丈夫癩疝婦人少腹腫甚則嗌乾面塵爲肝病又胷滿洞泄爲肝病又心腹痛不能反側目鋭皆痛缺盆中腫痛掖下腫馬刀挾癭汗出振寒瘧

爲膽病蓋陽明司天之歲金尅木故病如是又按脉解云厥陰所謂㿗疝婦人少腹腫者厥陰者辰也三月陽中之陰邪在中故曰㿗疝少腹腫也【痤】阻禾切

太衝絶死不治

太衝在足大指本節後二寸脉動應手肝之氣也金來伐木肝氣内絶眞不勝邪其死宜也

太陽司天寒淫所勝則寒氣反至水且冰血變于中發爲癰瘍民病厥心痛嘔血血泄鼽衄善悲時眩仆運火炎烈雨暴廼雹胷腹滿手熱肘攣掖腫心澹澹大動胷脇胃脘不安面赤目黄善噫嗌乾甚則色炲渴而欲飲病本于心

謂甲辰丙辰戊辰庚辰壬辰甲戌丙戌戊戌庚戌壬戌歲也大陽司天寒氣布化故水且氷而血凝皮膚之間衛氣結聚故爲癰也若兼火運而火炎烈與水交戰故暴雨半珠形雹也心氣爲噫故善噫是歲民病集于心脇之中也陽氣內鬱濕氣下蒸故心厥痛而嘔嗌血泄衂面赤目黃善噫手熱肘攣腋腫血乾甚則寒氣勝陽水行凌火火氣內鬱故渴而欲飲也病始心生爲陰凌犯故云病本于心也○新校正云按甲乙經手熱肘攣腋腫甚則胷脇支滿心澹澹大動面赤目黃爲手心主病又邪在心則病心痛善悲時眩仆盖大陽司天之歲水尅火故病如是

神門絶死不治

神門在手之掌後銳骨之端動脉應手真心氣也水行勝火而心氣內絶神氣已亡不死何待善知其診故不治也

所謂動氣知其藏也

所以診視而知死者何以皆是藏之經脉動氣知神藏之存亡爾

帝曰善治之柰何

謂可攻治者

岐伯曰司天之氣風淫所勝平以辛凉佐以苦甘以甘緩之以酸寫之

厥陰之氣未爲盛熱故以凉藥平之夫氣之用也積凉爲寒積溫爲熱以熱少之其則溫也以寒少之其則凉也以溫多之其則熱也以凉多之其則寒也各當其分則寒寒也溫溫也熱熱也凉凉也方書之用可不務乎故寒熱溫凉遷降多少善爲方者意必精通餘氣皆然從其制也○新校正云按本論上文云上淫于下所勝平之外淫于內所勝治之

故在泉曰治司天曰平也

熱淫所勝平以鹹寒佐以苦甘以酸收之

熱氣已退時發動者是爲心虛氣散不斂以酸收之雖以酸收亦兼寒助乃能殄除其源本矣熱見大甚則以苦發之汗已便凉是邪氣盡勿寒冰之汗已猶熱是邪氣未盡則以酸收之已之熱則復汗之已汗復熱是藏虛也則補其心可矣法則合爾諸治熱者亦未必得再三發三治況四變而反覆者乎

濕淫所勝平以苦熱佐以酸辛以苦燥之以淡泄之

濕氣所淫皆爲腫滿但除其濕腫滿自衰因濕生病不腫不滿者亦爾治之濕氣在上以苦吐之濕氣在下以苦泄之以淡滲之則皆燥也泄謂滲泄以利水道下小便爲法然酸

雖熱以用利小便云伏水也治濕之病不下小便非其法也○新校正云按濕淫于内佐以酸淡此云酸辛者辛疑當作淡

濕上甚而熱治以苦溫佐以甘辛以汗爲故而止

身半以上濕氣餘火氣復鬱鬱濕相薄則以苦溫甘辛之藥解表流汗而袪之故云以汗爲除病之故而已也

火淫所勝平以鹹冷佐以苦甘以酸收之以苦發之以酸復之熱淫同

同熱淫義熱亦如此法以酸復其本氣也不復其氣則淫氣空虛招其本

燥淫所勝平以苦濕佐以酸辛以苦下之

制燥之勝必以苦濕是火之氣味也宜下必以苦宜補必以酸宜寫必以辛清甚生寒留而不去則以苦濕下之氣有餘則以辛寫之諸氣同○新校正云按上文燥淫于内治以苦温此云苦濕當爲温文註中濕字三竝當作温又按六元正紀大論亦作苦小温

寒淫所勝平以辛熱佐以苦甘以鹹寫之淫散止之不可過也○新校正云按上文寒淫于内治以甘熱佐以苦辛此云平以辛熱佐以甘苦者此文爲誤又按六元正紀大論云大陽之政歲宜苦以燥之

帝曰善邪氣反勝治之奈何不能淫勝於他氣反爲不勝之氣爲邪以勝之

岐伯曰風司于地清反勝之治以酸温佐以苦甘以辛平之

厥陰在泉則風司于地謂五寅歲五申歲邪氣勝盛故先以酸寫佐以苦甘邪氣退則正氣虛故以辛補養而平之

熱司于地寒反勝之治以甘熱佐以苦辛以鹹平之

少陰在泉則熱司于地謂五卯五酉歲也先寫其邪而後平其正氣也

濕司于地熱反勝之治以苦冷佐以鹹甘以苦平之

太陰在泉則濕司于地謂五辰五戌歲也補寫之義餘氣皆同

火司于地寒反勝之治以甘熱佐以苦辛以鹹平之

少陽在泉則火司于地謂五巳五亥歲也

燥司于地熱反勝之治以平寒佐以苦甘以酸平之以和爲利

陽明在泉則燥司于地謂五子五午歲也燥之性惡熱而畏寒故以冷熱和平爲方利也

寒司于地熱反勝之治以鹹冷佐以甘辛以苦平之

太陽在泉則寒司于地謂五丑五未歲也此六氣方治與前前勝法殊別其云治者寫客邪之勝氣也云佐者皆所利所宜也云平者補己弱之正氣也

帝曰其司天邪勝何如岐伯曰風化於天清反勝之治以酸溫佐以甘苦

巳亥歲也

熱化於天寒反勝之治以甘溫佐以苦酸辛

子午歲也

濕化於天熱反勝之治以苦寒佐以苦酸

丑未歲也

火化於天寒反勝之治以甘熱佐以苦辛

寅申歲也

燥化於天熱反勝之治以辛寒佐以苦甘

卯酉歲也

寒化於天熱反勝之治以鹹冷佐以苦辛

辰戌歲也

帝曰六氣相勝柰何

先舉其用爲勝

岐伯曰厥陰之勝耳鳴頭眩憒憒欲吐胃鬲如寒大風數舉倮蟲不滋胠脇氣并化而爲熱小便黃赤胃脘當心而痛上支兩脇腸鳴飱泄少腹痛注下赤白甚則嘔吐鬲咽不通

五巳五亥歲也心下臍上謂之胃脘之上及大鬲之下風寒氣所生也氣并謂偏著一邊鬲咽謂食飲入而復出也○新校正云按甲乙經胃病者胃脘當心而痛上支兩脇鬲咽不通

少陰之勝心下熱善飢臍下反痛氣遊三焦炎暑至木迺津草迺萎嘔逆躁煩腹滿痛溏泄傳爲赤沃

五子五午歲也沃沫也

大陰之盛火氣內鬱瘡瘍於中流散於外病在胠脇甚則心痛熱格頭痛喉痺項強獨勝則濕氣內鬱寒迫下焦痛留頂互引眉間胃滿雨數至燥化迺見少腹滿腰脽重強內不便善注泄足下溫頭重足脛胕腫飲發於中胕腫於上

五丑五未歲也濕勝於上則火氣內鬱勝於中則寒迫下焦水溢河渠則鱗虫離水也脽

謂臀肉也不便謂腰重內強直屈伸不利也獨勝謂不兼鬱火也胕腫於上謂首面也足脛腫是火鬱所生也○新校正云詳註云水溢河渠則鱗虫離水也王作此註於經文無所解又按大陰之復云大雨時行鱗見於陸則此文於雨數至下脫少鱗見於陸四字不然則王註無因爲解也

少陽之勝熱客於胃煩心心痛目赤欲嘔嘔酸善飢耳痛溺赤善驚譫妄暴熱消爍草萎水涸介蟲迺屈少腹痛下沃赤白五寅五申歲也熱暴甚故草萎水涸陰氣消爍介虫金化也火氣大勝故介虫屈伏酸醋水也

陽明之勝清發於中左胠脇痛溏泄內爲嗌寒

外發癩疝大凉肅殺華英改容毛蟲廼殃胷中不便嗌塞而欬

五卯五酉歲也大凉肅殺金氣勝木故草木華英爲殺氣損削改易形容而焦其上首也毛虫木化氣不宜金故金政大行而毛虫死耗也肝木之氣下主於陰故大凉行而癩疝發也胃中不便謂呼吸回轉或痛或緩急而不利便也氣大盛故嗌塞而欬也嗌謂喉之下接連胷中肺兩葉之間也

大陽之勝凝凓且至非時水冰羽廼後化痔瘧發寒厥入胃則内生心痛陰中廼瘍隱曲不利互引陰股筋肉拘苛血脉凝泣絡滿色變或爲血泄皮膚否腫腹滿食減熱反上行頭項顖頂

腦戶中痛目如脫寒入下焦傳爲濡寫五辰五戌歲也寒氣凌逼陽不勝之故非寒時而止水冰結也水氣大勝陽火不行故諸羽虫生化而後也拘急也苛重也絡絡脈也大陽之氣標在於巔故熱反上行於頭也以其脉起於目內眥上額交巔上入絡腦還出別下項故顖頂及腦戶中痛目如欲脫也濡謂水利也○新校云云按甲乙經痔瘧頭項顖頂及腦戶中痛目如脫爲大陽經病

帝曰治之柰何岐伯曰厥陰之勝治以甘淸佐以苦辛以酸寫之少陰之勝治以辛寒佐以苦鹹以甘寫之大陰之勝治以鹹熱佐以辛甘以苦寫之少陽之勝治以辛寒佐以甘鹹以甘寫之陽明之勝治以酸溫佐以辛甘以苦泄之大

陽之勝治以甘熱佐以辛酸以鹹寫之

六勝之至皆先歸其不勝己者之故不勝者當先寫之以通其道次寫所勝之氣令其退釋也治諸勝而不寫遣之則勝氣浸盛內生諸病也○新校正云詳此爲治皆先寫其不勝而後寫其來勝獨大陽之勝治以甘熱爲異疑甘字苦之誤也若云治以苦熱則六勝之治皆一貫也

帝曰六氣之復何如

復謂報復報其勝也凡先有勝後必復○新校正云按玄珠云六氣分正化對化厥陰正司於亥對化於巳少陰正司於午對化於子大陰正司於未對化於丑少陽正司於寅對化於申陽明正司於酉對化於卯大陽正司於戌對化於辰正司化令之實對司化令之虛對化勝而有復正化勝而不復此註云凡先有勝後必復似未然

岐伯曰悉乎哉問也厥陰之復少腹堅滿裏急暴痛偃木飛沙倮蟲不榮厥心痛汗發嘔吐飲食不入入而復出筋骨掉眩清厥甚則入脾食痺而吐

裏腹脇之中也木偃沙飛風之大也風爲木勝故土不榮氣厥謂氣衝胃脇而痿及心也胃受逆氣而上攻心痛也痛甚則汗發泄掉謂肉中動也清厥手足冷也食痺謂食已心下痛陰陰然不可名也不可忍也吐出乃止此爲胃氣逆而不下流也食飲不入入而復出肝乘脾胃故令爾也

衝陽絕死不治

衝陽胃脉氣也

少陰之復燠熱內作煩躁鼽嚏少腹絞痛火見燔焫嗌燥分注時止氣動於左上行於右欬皮膚痛暴瘖心痛鬱冒不知人迺洒淅惡寒振慄譫妄寒已而熱渴而欲飲少氣骨痿隔腸不便外為浮腫噦噫赤氣後化流水不冰熱氣大行介蟲不福病疿胗瘡瘍癰疽痤痔甚則入肺欬而鼻淵

火熱之氣自小腸從臍下之左入大腸上行至左脇甚則上行於右而入肺故動於左上行於右皮膚痛也分注謂大小俱下也骨痿言骨弱無力也隔腸謂腸如隔絕而不便寫也寒熱甚則然陽明先勝故赤氣後化流水不冰少陰之本司於地也在人之應則冬脉

可疑若高山窮谷已是至高之處水亦當冰平下川流則如經矣火氣內蒸金氣外拒陽熱內鬱故爲痱胗瘡瘍胗甚亦爲瘡也熱少則外生痱胗熱多則內結癰痤小腸有熱則中外爲痔其復熱之變皆病於身後及外側也瘡瘍痱胗生於上癰疽痤痔生於下反其處者皆爲逆也

天府絕死不治

天府肺脉氣也○新校正云按上文少陰司天熱淫所勝尺澤絕死不治少陽司天火淫所勝天府絕死不治此云少陰之復天府絕死不治下文少陽之復尺澤絕死不治文如相反者盖尺澤天府俱手大陰脉之所發動故此互文也

大陰之復濕變迺舉體重中滿食飲不化陰氣上厥胷中不便飲發於中欬喘有聲大雨時行

鱗見於陸頭頂痛重而掉瘛尤甚嘔而密默唾吐清液甚則入腎竅寫無度

濕氣内逆寒氣不行太陽上流故爲是病頭頂痛重則腦中掉瘛尤甚腸胃寒濕熱無所行熏灼胷府故胷中不便食飲不化嘔而密默欲靜定也喉中惡冷故唾吐冷水也寒氣易位上入肺喉則息道不利故欬喘而喉中有聲也水居平澤則魚遊於市頭項胷痛女人亦無痛於眉間也〇新校正云按上文太陰在泉頭痛項似拔又大陰司天云頭項痛頂疑當作項

大谿絕死不治

大谿腎脉氣也

少陽之復大熱將至枯燥燔爇介蟲迺耗驚瘛

欬衄心熱燔燥便數憎風厥氣上行面如浮埃目瞤瘛火氣內發上爲口糜嘔逆血溢血泄發而爲瘧惡寒鼓慄寒極反熱嗌絡焦槁渴引水漿色變黃赤少氣脉痿化而爲水傳爲胕腫甚則入肺欬而血泄火氣專暴枯燥草木燔焫自生故燔爇也火內熾故驚瘛欬衄心熱煩燥便數憎風也火炎於上則庶物失色故如塵埃浮於面而目瞤動也火爍於內則口舌糜爛嘔逆及爲血溢血泄風火相薄則爲溫瘧氣蒸熱化則爲水病傳爲胕腫胕謂皮肉俱腫按之陷下泥而不起也如是之證皆火氣所生也

尺澤絕死不治

尺澤肺脉氣也

陽明之復清氣大舉森木蒼乾毛蟲迺厲病生胠脇氣歸於左善大息甚則心痛否滿腹脹而泄嘔苦欬噦煩心病在鬲中頭痛甚則入肝驚駭筋攣

殺氣大舉木不勝之故蒼青之葉不及黄而乾燥也厲謂疵厲疾疫死也清甚於内熱欝於外故也

大衝絶死不治

大衝肝脉氣也

大陽之復厥氣上行水凝雨冰羽蟲迺死心胃

生寒胷中不利心痛否滿頭痛善悲時眩仆食減腰脽反痛屈伸不便地裂冰堅陽光不治少腹控睾引腰脊上衝心唾出清水及為噦噫甚則入心善忘善悲

雨冰謂雹也寒而遇雹死亦其宜寒化於地其上復土故地體分裂水積冰堅久而不釋是陽光之氣不治寒凝之物也大陽之復與不相持上濕下寒火無所往心氣內鬱熱由是生火熱內燔故生斯病○新校正云詳註云與不相持不字疑作土

神門絶死不治

神門真心脈氣

帝曰善治之柰何

復氣倍勝故先問以治之

岐伯曰厥陰之復治以酸寒佐以甘辛以酸寫之以甘緩之

不大緩之夏猶不已復重於勝故治以辛寒也○新校正云按別本治以酸寒作治以辛寒也

少陰之復治以鹹寒佐以苦辛以甘寫之以酸收之以苦發之以鹹耎之

不大發汗以寒攻之持至仲秋熱內伏結而爲心熱少氣少力而不能起矣熱伏不散歸於骨也

太陰之復治以苦熱佐以酸辛以苦寫之燥之

泄之

不燥泄之久而爲身腫腹滿關節不利腨及伏兔沸滿内作膝腰脛内側胕腫病

少陽之復治以鹹冷佐以苦辛以鹹耎之以酸收之辛苦發之發不遠熱無犯溫凉少陰同法

不發汗以奪盛陽則熱内淫於四支而爲解㑊不可名也謂熱不甚謂寒不甚謂強不甚謂弱不甚不可以名言故謂之解㑊粗醫呼爲鬼氣惡病也久久不已則骨熱髓涸齒乾乃爲骨熱病也發汗奪陽故無留熱故發汗者雖熱生病夏月及差亦用熱藥以發之當春秋時縱火熱盛亦不得以熱藥發汗汗不發而藥熱内甚助病爲瘧逆犯神靈故日無犯溫凉少陰氣熱爲燎則同故云與少陰同法也數奪其汗則津液竭涸故以酸收以鹹潤也○新校正云按六元正紀大論云發表不遠熱

陽明之復治以辛溫佐以苦甘以苦泄之以苦下之以酸補之泄謂滲泄汗及小便湯浴皆是也秋分前後則亦發之春有勝則依勝法或不已亦湯漬和其中外也怒復之後其氣皆虛故補之以安全其氣餘復治同

大陽之復治以鹹熱佐以甘辛以苦堅之不堅則寒氣內變止而復發發而復止綿歷年歲生大寒疾

治諸勝復寒者熱之熱者寒之溫者清之清者溫之散者收之抑者散之燥者潤之急者緩之堅者耎之脆者堅之衰者補之強者寫之各安其氣必清必靜則病氣衰去歸其所宗此治之

大體也

大陽氣寒少陰少陽氣熱厥陰氣溫陽明氣清大陰氣濕有勝復則各倍其氣以調之故可使平也宗屬也調不失理則餘之氣自歸其所屬少之氣自安其所居勝復衰已則各補養而平定之必清必靜無妄撓之則六氣循環五神安泰若運氣之寒熱治之平之亦各歸司天地氣也

帝曰善氣之上下何謂也岐伯曰身半以上其氣三矣天之分也天氣主之身半以下其氣三矣地之分也地氣主之以名命氣以氣命處而言其病半所謂天樞也

身之半正謂臍中也或以腰爲身半是以居中爲義過天中也中原之人悉如此矣當伸

臂指天舒足指地以繩量之中正當臍也故又曰半所謂天樞也天樞正當臍兩傍同身寸之二寸也其氣三者假如少陰司天則上有熱中有大陽兼之三也六氣皆然司天者其氣三司地者其氣三故身半以上三氣身半以下三氣也以名言其氣以氣言其處以氣處寒熱而言其病之形證也則如足厥陰氣居足及股脛之内側上行於少腹循脇足陽明氣在足之上胕之外股之前上行腹臍之傍循胷乳上面足大陽氣起於目上額絡頭下項背過腰横過髀樞股後下行入膕貫腨出外踝之後足小指外側足大陰氣循足及股脛之内側上行腹脇之前足少陰同之足少陽氣循脛外側上行腹脇之側循頰耳至目鋭眥在首之側此足六氣之部主也手厥陰少陰大陰氣從心胷横出循臂内側至中指小指大指之端手陽明少陽大陽氣竝起手表循臂外側上肩及胛上頭此手六氣之部主也欲知病診當隨氣所在以言之當陰之分冷病歸之當陽之分熱病歸之故勝

復之作先言病生寒熱者必依此物理也○新校正云按六微旨大論云天樞之上天氣主之天樞之下地氣主之氣交之分人氣從之

故上勝而下俱病者以地名之下勝而上俱病者以天名之

彼氣既勝此未能復抑鬱不暢而無所行進則困於讎燋退則窮於拂塞故上勝至則下與俱病下勝至則上與俱病上勝下病地氣鬱也故從地鬱以名地病下勝上病天氣塞也故從天塞以名天病夫以天名者方順天氣爲制逆地氣而攻之以地名者方從天氣爲制則可假如陽明司天少陰在泉上勝而下俱病者是拂於下而生也天氣正勝不可逆之故順天之氣方同清也少陰等司天上下勝同法○新校正云按六元正紀大論云上勝則天氣降而下下勝則地氣遷而上此之謂也

所謂勝至報氣屈伏而未發也復至則不以天地異名皆如復氣爲法也

勝至未復而病生以天地異名爲式復氣已發則所生無問上勝下勝悉皆依復氣爲病寒熱之主也

帝曰勝復之動時有常乎氣有必乎岐伯曰時有常位而氣無必也

雖位有常而發動有無不必定之也

帝曰願聞其道也岐伯曰初氣終三氣天氣主之勝之常也四氣盡終氣地氣主之復之常也有勝則復無勝則否帝曰善復已而勝何如岐

伯曰勝至則復無常數也衰迺止耳

勝微則復微故復已而又勝勝甚則復甚故復已則少有再勝者也假有勝者亦隨微甚而復之爾然勝復之道雖無常數至其衰謝則勝復皆自止也

復已而勝不復則害此傷生也

有勝無復是復氣已衰衰不能復是天眞之氣已傷敗甚而生意盡

帝曰復而反病何也岐伯曰居非其位不相得也大復其勝則主勝之故反病也

捨己宮觀適於他邦己力已衰主不相得怨隨其後唯便是求故力極而復主反襲之反自病者也

所謂火燥熱也

少陽火也陽明燥也少陰熱也少陰少陽在泉爲火居水位陽明司天爲金居火位金復其勝則火主勝之火復其勝則水主勝之餘氣勝復則無主勝之病氣也故又曰所謂火燥熱也

帝曰治之柰何岐伯曰夫氣之勝也微者隨之甚者制之氣之復也和者平之暴者奪之皆隨勝氣安其屈伏無問其數以平爲期此其道也隨謂隨之安謂順勝氣以和之也制謂制止平謂平調奪謂奪其勝氣也治此者不以數之多少但以氣平和爲準度爾

帝曰善客主之勝復柰何客謂天之六氣主謂五行之位也氣有宜否故各有勝復之者

岐伯曰客主之氣勝而無復也客主自有多少以其爲勝與常勝殊

帝曰其逆從何如岐伯曰主勝逆客勝從天之道也客承天命部統其方主爲之下固宜祗奉天命不順而勝則天命不行故爲逆也客勝於主承天而行理之道故爲順也

帝曰其生病何如岐伯曰厥陰司天客勝則耳鳴掉眩甚則欬主勝則胷脇痛舌難以言五巳五亥歲也

少陰司天客勝則鼽嚏頸項強肩背瞀熱頭痛

少氣發熱耳聾目瞑甚則胕腫血溢瘡瘍欬喘

主勝則心熱煩躁甚則脇痛支滿

五子五午歲也

大陰司天客勝則首面胕腫呼吸氣喘主勝則

胷腹滿食已而瞀

五丑五未歲也

少陽司天客勝則丹胗外發及爲丹熛瘡瘍嘔

逆喉痺頭痛嗌腫耳聾血溢內爲瘛瘲主勝則

胷滿欬仰息甚而有血手熱

五寅五申歲也

陽明司天清復內餘則欬衄嗌塞心鬲中熱欬不止而白血出者死復謂復舊居也白血謂欬出淺紅色血似肉似肺者五卯五酉歲也○新校正云詳此不言客勝主勝者以金居火位無客勝之理故不言也

太陽司天客勝則胷中不利出清涕感寒則欬主勝則喉嗌中鳴五辰五戌歲也

厥陰在泉客勝則大關節不利內爲痙強拘瘛外爲不便主勝則筋骨繇併腰腹時痛五寅五申歲也大關節腰膝也

少陰在泉客勝則腰痛尻股膝髀腨胻足病瞀熱以酸胕腫不能久立溲便變主勝則厥氣上行心痛發熱鬲中衆痺皆作發於胠脇魄汗不藏四逆而起

五卯五酉歲也

大陰在泉客勝則足痿下重便溲不時濕客下焦發而濡寫及爲腫隱曲之疾主勝則寒氣逆滿食飲不下甚則爲疝

五辰五戌歲也隱曲之疾謂隱蔽委曲之處病也

少陽在泉客勝則腰腹痛而反惡寒甚則下白

溺白主勝則熱反上行而客於心心痛發熱格中而嘔少陰同候五巳五亥歲也

陽明在泉客勝則清氣動下少腹堅滿而數便寫主勝則腰重腹痛少腹生寒下爲鶩溏則寒厥於腸上衝胷中甚則喘不能久立五子五午歲也鶩鴨也言如鴨之後也

大陽在泉寒復内餘則腰尻痛屈伸不利股脛足膝中痛五丑五未歲也○新校正云詳此不言客主勝者盖大陽以水居水位故不言也

帝曰善治之柰何岐伯曰高者抑之下者舉之有餘者折之不足者補之佐以所利和以所宜必安其主客適其寒溫同者逆之異者從之

高者抑之制其勝也下者舉之濟其弱也有餘者折之屈其銳也不足者補之全其氣也雖制勝扶弱而客主須安一氣失所則矛楯更作榛棘互興各伺其便不相得者內淫外併而危敗之由作矣同謂寒熱溫清氣相比和者異謂水火金木土不比和者氣相得者則逆所勝之氣以治之不相得者則順所不勝氣以治之治火勝負欲益者以其味欲爲者亦以其味勝與不勝皆折其氣也何者以其性躁動也治熱亦然

帝曰治寒以熱治熱以寒氣相得者逆之不相得者從之余已知之矣其於正味何如岐伯曰

木位之主其寫以酸其補以辛

木位春分前六十一日初之氣也

火位之主其寫以甘其補以鹹

君火之位春分之後六十一日二之氣也相火之位夏至前後各三十日三之氣也二火之氣則殊然其氣用則一矣

土位之主其寫以苦其補以甘

土之位秋分前六十一日四之氣也

金位之主其寫以辛其補以酸

金之位秋分後六十一日五之氣也

水位之主其寫以鹹其補以苦

水之位冬至前後各三十日終之氣也

厥陰之客以辛補之以酸寫之以甘緩之少陰之客以鹹補之以甘寫之以鹹收之新校正云按藏氣法時論云心苦緩急食酸以收之心欲耎急食鹹以耎之此云以鹹收之者誤也太陰之客以甘補之以苦寫之以甘緩之少陽之客以鹹補之以甘寫之以鹹耎之陽明之客以酸補之以辛寫之以苦泄之太陽之客以苦補之以鹹寫之以苦堅之以辛潤之開發腠理致津液通氣也

客之部主各六十一日居無常所隨歲遷移客勝則寫客而補主主勝則寫主而補客應隨當緩當急以治之

帝曰善願聞陰陽之三也何謂岐伯曰氣有多少異用也

大陰爲正陰大陽爲正陽次少者爲少陰次少者爲少陽又次爲陽明又次爲厥陰厥陰爲盡義具靈樞繫日月論中○新校正云按天元紀大論云何謂氣有多少鬼臾區曰陰陽之氣各有多少故曰三陰三陽也

帝曰陽明何謂也岐伯曰兩陽合明也

靈樞繫日月論曰辰者三月主左足之陽明巳者四月主右足之陽明兩陽合於前故曰陽明也

帝曰厥陰何也岐伯曰兩陰交盡也靈樞繫日月論曰戌者九月主右足之厥陰亥者十月主左足之厥陰兩陰交盡故曰厥陰也

帝曰氣有多少病有盛衰新校正云按天元紀大論云形有盛衰

治有緩急方有大小願聞其約柰何岐伯曰氣有高下病有遠近證有中外治有輕重適其至所爲故也藏位有高下府氣有遠近病證有表裏藥用有輕重調其多少和其緊慢令藥氣至病所爲故勿太過與不及也

大要曰君一臣二奇之制也君二臣四偶之制也君二臣三奇之制也君二臣六偶之制也

奇謂古之單方偶謂古之複方也單複二制皆有小大故奇方云君一臣二君二臣三偶方云君二臣四君二臣六也病有小大氣有遠近治有輕重所宜故云制也

故曰近者奇之遠者偶之汗者不以奇下者不以偶補上治上制以緩補下治下制以急急則氣味厚緩則氣味薄適其至所此之謂也

汗藥不以偶方氣不可以外發泄下藥不以奇制藥毒攻而致過治上補上方迅急則上不住而迫下治下補下方緩慢則滋道路而力又微制急方而氣味薄則力與緩等制緩方而氣味厚則勢與急同如是爲緩不能緩急不能急厚而不厚薄而不薄則大小非制

輕重無度則虛實寒熱藏府紛撓無由致理豈神靈而可望安哉

病所遠而中道氣味之者食而過之無越其制度也

假如病在腎而心之氣味飼而令足仍急過之不飼以氣味腎藥凌心心復益衰餘上下遠近不同

是故平氣之道近而奇偶制小其服也遠而奇偶制大其服也大則數少小則數多多則九之少則二之

湯丸多少凡如此也近遠謂府藏之位也心肺為近肝腎為遠脾胃居中三陽胞膻膽亦有遠近身三分之上為近下為遠也或識見高遠權以合宜方奇而分兩偶方偶而分兩

奇如是者近而偶制多數服之遠而奇制少數服之則肺服九心服七脾服五肝服三腎服一爲常制矣故曰少則數多大則數少○新校正云詳註云三陽胞膻膽一本作三腸胞膻膽再詳三陽無義三腸亦未爲得腸有大小并膻陽爲三今已云胞膻則不得云三腸三當作二

膻之力切

奇之不去則偶之是謂重方偶之不去則反佐以取之所謂寒熱溫涼反從其病也

方與其重也寧輕與其毒也寧善與其大也寧小是以奇方不去偶方主之偶方病在則反其一佐以同病之氣而取之也夫熱與寒背寒與熱違微小之熱爲寒所折微小之冷爲熱所消甚大寒熱則必能與違性者爭雄能與異氣者相格聲不同不相應氣不同不相合如是則且憚而不敢攻之攻之則病氣與藥氣抗衡而自爲寒熱以關閉固守矣是

以聖人反其佐以同其氣令身氣應合復令其熱參合使其終異始同燥潤而敗堅剛強必折柔脆同消爾脆須醉切

帝曰善病生於本余知之矣生於標者治之奈何岐伯曰病反其本得標之病治反其本得標之方

言少陰大陽之二氣餘四氣標本同

帝曰善六氣之勝何以候之岐伯曰乘其至也

清氣大來燥之勝也風木受邪肝病生焉

流於膽

熱氣大來火之勝也金燥受邪肺病生焉

流於廻腸大腸○新校正云詳註云廻腸大腸按甲乙經廻腸即大腸也

寒氣大來水之勝也火熱受邪心病生焉

流於三焦小腸

濕氣大來土之勝也寒水受邪腎病生焉

流於膀胱

風氣大來木之勝也土濕受邪脾病生焉

流於胃

所謂感邪而生病也

外有其氣而内惡之中外不喜因而遂病是謂感也

乘年之虚則邪甚也

年木不足外有清邪年火不足外有寒邪年土不足外有風邪年金不足外有熱邪年水不足外有濕邪是年之虛也歲氣不足外邪湊甚也

失時之和亦邪甚也

六氣臨統與位氣相尅感之而病亦隨所不勝而與内藏相應邪復甚也

遇月之空亦邪甚也

謂上弦前下弦後月輪中空也

重感於邪則病危矣

年已不足邪氣大至是一感也年已不足天氣尅之此時感邪是重感也内氣召邪天氣不祐欲病之不危可乎

有勝之氣其必來復也

天地之氣不能相無故有勝之氣其必來復也

帝曰其脉至何如岐伯曰厥陰之至其脉弦

耎虛而滑端直以長是謂弦實而強則病不實而微亦病不端直長亦病不當其位亦病位不能弦亦病

少陰之至其脉鉤

來盛去衰如偃帶鉤是謂鉤來不盛去反盛則病來盛去盛亦病來不盛去不盛亦病不當其位亦病位不能鉤亦病

大陰之至其脉沉

沉下也按之乃得下諸位脉也沉甚則病不沉亦病不當其位亦病位不能沉亦病

少陽之至大而浮

浮高也大謂稍大諸位脉也大浮甚則病浮而不大亦病大而不浮亦病不大不浮亦病不當其位亦病位不能大浮亦病

陽明之至短而濇

往來不利是謂濇也往來不遠是謂短也短甚則病濇甚則病不短不濇亦病不當其位亦病位不能短濇亦病

大陽之至大而長

往來遠是謂長大甚則病長甚則病長而不大亦病大而不長亦病不當其位亦病位不能長大亦病

至而和則平

不大甚則爲平調不弱不強是爲和也

至而甚則病

弦似張弓弦滑如連珠沉而附骨浮高於皮澁而止住短如麻黍大如帽簪長如引繩皆謂至而大甚也

至而反者病

應弦反濇應大反細應沉反浮應浮反沉應短濇反長滑應耎虛反強實應細反大是皆爲氣反常平之候有病乃如此見也

至而不至者病

氣位已至而脉氣不應也

未至而至者病

按曆占之凡得節氣當年六位之分當如南北之歲脉象改易而應之氣序未移而脉先

變易是先天而至故病

陰陽易者危不應天常氣見交錯失其常位更易見之陰位見陽脈陽位見陰脈是易位而見也二氣錯亂故氣危○新校正云按六微旨大論云帝曰其有至而至有至而不至有至而大過何也岐伯曰至而至者和至而不至來氣不及也未至而至來氣有餘也帝曰至而不至未至而至何如岐伯曰應則順否則逆逆則變生變生則病帝曰請言其應岐伯曰物生其應也氣脉其應也所謂脉應即此脉應也

帝曰六氣標本所從不同柰何岐伯曰氣有從本者有從標本者有不從標本者也帝曰願卒聞之岐伯曰少陽大陰從本少陰大陽從本從

標陽明厥陰不從標本從乎中也

少陽之本火大陰之本濕本末同故從本也少陰之本熱其標陰大陽之本寒其標陽本末異故從本從標陽明之中太陰厥陰之中少陽本末與中不同故不從標本從乎中也從本從標從中皆以其爲化生之用也

故從本者化生於本從標本者有標本之化從中者以中氣爲化也

化謂氣化之元主也有病以元主氣用寒熱治之○新校正云按六微旨大論云少陽之上火氣治之中見厥陰陽明之上燥氣治之中見大陰大陽之上寒氣治之中見少陰厥陰之上風氣治之中見少陽少陰之上熱氣治之中見大陽大陰之上濕氣治之中見陽明所謂本也本之下中之見也見之下氣之標也本標不同氣應異象此之謂也

帝曰脉從而病反者其診何如岐伯曰脉至而從按之不鼓諸陽皆然

言病熱而脉數按之不動乃寒盛格陽而致之非熱也

帝曰諸陰之反其脉何如岐伯曰脉至而從按之鼓甚而盛也

形證是寒按之而脉氣鼓繫於手下盛者此爲熱盛拒陰而生病非寒也

是故百病之起有生於本者有生於標者有生於中氣者有取本而得者有取標而得者有取中氣而得者有取標本而得者有逆取而得者有從取而得者

反佐取之是爲逆取奇偶取之是爲從取寒病治以寒熱病治以熱是爲逆取從順也

逆正順也若順逆也

寒盛格陽治熱以熱熱盛拒陰治寒以寒之類皆時謂之逆外雖用逆中乃順也此逆乃正順也若寒格陽而治以寒熱拒寒而治以熱外則雖順中氣乃逆故方若順是逆也

故曰知標與本用之不殆明知逆順正行無問此之謂也不知是者不足以言診足以亂經故大要曰粗工嘻嘻以爲可知言熱未已寒病復始同氣異形迷診亂經此之謂也

嘻嘻悦也言心意怡悦以爲知道終盡也六氣之用粗之與工得其半也厥陰之化粗以爲寒其乃是温太陽之化粗以爲熱其乃是寒由此差互用失其道故其學問識用不達

工之道半矣夫大陽少陰各有寒化然量其
標本應用則正反矣何以言之大陽本爲寒
標爲熱少陰本爲熱標爲寒方之用亦如是
也厥陰陽明中氣亦爾厥陰之中氣爲熱陽
明之中氣爲濕此二氣亦反其類大陽少陰
也然大陽與少陰有標本用與諸氣不同故
曰同氣異形也夫一經之標本寒熱既殊言
本當究其標論標合尋其本言氣不窮其標
本論病未辨其陰陽雖同二氣而主且阻寒
溫之候故心迷正理治益亂經呼曰粗工允
膺其稱

夫標本之道要而博小而大可以言一而知百
病之害言標與本易而勿損察本與標氣可令
調明知勝復爲萬民式天之道畢矣

天地變化尚可盡知況一人之診而云冥昧
得經之要持法之宗爲天下師尚卑其道萬

民之式豈曰大哉○新校正云按標本病傳論云有其在標而求之於標有其在本而求之於本有其在本而求之於標有其在標而求之於本故治有取標而得者有取本而得者有逆取而得者有從取而得者故知逆與從正行無問知標本者萬舉萬當不知標本是爲妄行夫陰陽逆從標本之爲道也小而大言一而知百病之害少而多淺而博可以言一而知百也以淺而知深察近而知遠言標與本易而勿及治反爲逆治得爲從先病而後逆者治其本先逆而後病者治其本先寒而後生病者治其本先熱而後生病者治其本先熱而後生中滿者治其標先病而後泄者治其本先泄而後生他病者治其本必且調之乃治其他病先病而後生中滿者治其標先中滿而後煩心者治其本人有客氣有同氣小大不利治其標小大利治其本病發而有餘本而標之先治其本後治其標病發而不足標而本之先治其標後治其本謹察間甚以意調之間者并行甚者獨行先小

大不利而後生病者治其本此經論標本尤詳

帝曰勝復之變早晏何如岐伯曰夫所勝者勝至已病病已慍慍而復已萌也

復心之慍不遠而有

夫所復者勝盡而起得位而甚勝有微甚復有少多勝和而和勝虛而虛天之常也帝曰勝復之作動不當位或後時而至其故何也

言陽盛於夏陰盛於冬清盛於秋溫盛於春天之常候然其勝復氣用四序不同其何由哉

岐伯曰夫氣之生與其化衰盛異也寒暑溫涼

盛衰之用其在四維故陽之動始於溫盛於暑陰之動始於清盛於寒春夏秋冬各差其分

言春夏秋冬四正之氣在於四維之分也即事驗之春之溫正在辰巳之月夏之暑正在未申之月秋之凉正在戌亥之月冬之寒正在丑寅之月春始於仲春夏始於仲夏秋始於仲秋冬始於仲冬故丑之月陰結層氷於厚地未之月陽焰電掣於天垂戌之月霜清肅殺而庶物堅辰之月風扇和舒而陳柯榮秀此則氣差其分昭然而不可蔽也然陰陽之氣生發收藏與常法相會徵其氣化及在人之應則四時每差其日數與常法相違從差法乃正當之也

故大要曰彼春之暖爲夏之暑彼秋之忿爲冬之怒謹按四維斥候皆歸其終可見其始可知

此之謂也言氣之少壯也陽之少爲暖其壯也爲暑陰之少爲忿其壯也爲怒此悉謂少壯之異氣證用之盛衰但立盛衰於四維之位則陰陽終始應用皆可知矣

帝曰差有數乎岐伯曰差凡三十度也度日也〇新校正云按六元正紀大論云差有數乎曰後皆三十度而有奇也此云三十度也者此文爲略

帝曰其脉應皆何如岐伯曰差同正法待時而去也脉亦差以隨氣應也待差日足應王氣至而乃去也

脉要曰春不沉夏不弦冬不濇秋不數是謂四

塞天地四時之氣閉塞而無所運行也沉甚曰病弦甚曰病濇甚曰病數甚曰病但應天和氣是則爲平形見大甚則爲力致以力而致安能久乎故甚皆病參見曰病復見曰病未去而去曰病去而不去曰病參謂參和諸氣來見復見謂再見已衰已死之氣也去謂王已而去者也日行之度未出於差是爲天氣未出日度過差是爲天氣已去而脉尚在既非得應故曰病反者死夏見沉秋見數冬見緩春見濇是謂反也犯違天命生其能久乎○新校正云詳上文秋

不數是謂四塞此註云秋見數是謂反盖以脉差只在仲月差之度盡而數不去謂秋之季月而脉尚數則爲反也

故曰氣之相守司也如權衡之不得相失也

權衡秤也天地之氣寒暑相對溫清相望如持秤也高者石下者否兩者齊等無相奪倫則清靜而生化各得其分也

夫陰陽之氣清靜則生化治動則苛疾起此之謂也

動謂變動常平之候而爲災眚也苛重也。新校正云按六微旨大論云成敗倚伏生乎動動而不已則變作矣

帝曰幽明何如岐伯曰兩陰交盡故曰幽兩陽

合明故曰明幽明之配寒暑之異也

兩陰交盡於戌亥兩陽合明於辰巳靈樞繫日月論云亥十月左足之厥陰戌九月右足之厥陰此兩陰交盡故曰厥陰辰三月左足之陽明巳四月右足之陽明此兩陽合於前故曰陽明然陰交則幽陽合則明幽明之象當由是也寒暑位西南東北幽明位西北東南幽明之配寒暑之位誠斯異也○新校正云按太始天元冊文云幽明既位寒暑弛張

帝曰分至何如岐伯曰氣至之謂至氣分之謂分至則氣同分則氣異所謂天地之正紀也

因幽明之問而形斯義也言冬夏二至是天地氣主歲至其所在也春秋二分是間氣初三四五四氣各分其政於主歲左右也故曰至則氣同分則氣異也所言二至二分之氣配者此所謂是天地氣之正紀也

帝曰：夫子言春秋氣始于前，冬夏氣始于後，余已知之矣。然六氣往復，主歲不常也，其補寫柰何？

以分至明六氣分位，則初氣四氣始於立春立秋前各一十五日爲紀法，三氣六氣始於立夏立冬後各一十五日爲紀法。由是四氣前後之紀，則三氣六氣之中，正當二至日也。故曰春秋氣始于前，冬夏氣始于後也。然以三百六十五日易一氣，一歲已往，氣則改新，新氣既來，舊氣復去，所宜之味，天地不同，補寫之方，應知先後，故復以問之也。

岐伯曰：上下所主，隨其攸利，正其味，則其要也。左右同法。大要曰：少陽之主，先甘後鹹；陽明之主，先辛後酸；太陽之主，先鹹後苦；厥陰之主，先

酸後辛少陰之主先甘後鹹大陰之主先苦後甘佐以所利資以所生是謂得氣

主謂主歲得謂得其性用也得其性用則舒卷由人不得性用則動生乖忤豈驅邪之可望乎適足以伐天真之妙氣爾如是先後之味皆謂有病先寫之而後補之也

帝曰善夫百病之生也皆生於風寒暑濕燥火以之化之變也

風寒暑濕燥火天之六氣也靜而順者爲化動而變者爲變故曰之化之變也

經言盛者寫之虛者補之余錫以方士而方士用之尚未能十全余欲令要道必行桴鼓相應由拔刺雪汚工巧神聖可得聞乎

鍼曰工巧藥曰神聖○新校正云按難經云望而知之謂之神聞而知之謂之聖問而知之謂之工切脉而知之謂之巧以外知之曰聖以內知之曰神

岐伯曰審察病機無失氣宜此之謂也

得其機要則動小而功大用淺而功深也

帝曰願聞病機何如岐伯曰諸風掉眩皆屬於肝

風性動木氣同之

諸寒收引皆屬於腎

收謂斂也引謂急也寒物收縮水氣同也

諸氣膹鬱皆屬於肺

高秋氣凉霧氣烟集凉至則氣熱復甚則氣彈微其物象屬可知矣膹謂膹滿鬱謂奔迫也氣之爲用金氣同之

諸濕腫滿皆屬於脾

土薄則水淺土厚則水深土平則乾土高則濕濕氣之有土氣同之

諸熱瞀瘛皆屬於火

火象徵

諸痛痒瘡皆屬於心

心寂則病微心躁則痛甚百端之起皆自心生痛痒瘡瘍生於心也

諸厥固泄皆屬於下

下謂下焦肝腎氣也夫守司於下腎之氣也門户東要肝之氣也故諸厥固泄皆屬下也

厥謂氣逆固謂禁固諸有氣逆上行及固不禁出入無度燥濕不恒皆由下焦之主守也

諸痿喘嘔皆屬於上

上謂上焦心肺氣也炎熱薄爍心之氣也承熱分化肺之氣也熱鬱化上故病屬上焦○新校正云詳痿之爲病似非上病王註不解所以屬上之由使後人疑議今按痿論云五藏使人痿者因肺熱葉焦發爲痿躄故云屬於上也痿又謂肺痿也

諸禁鼓慄如喪神守皆屬於火

熱之內作

諸痙項强皆屬於濕

太陽傷濕

諸逆衝上皆屬於火

炎上之性用也

諸脹腹大皆屬於熱

熱鬱於內肺脹所生

諸躁狂越皆屬於火

熱盛於胃及四末也

諸暴強直皆屬於風

陽內鬱而陰行於外

諸病有聲鼓之如鼓皆屬於熱

謂有聲也

諸病胕腫疼酸驚駭皆屬於火

諸氣多也

諸轉反戾水液渾濁皆屬於熱

反戾筋轉也水液小便也

諸病水液澄澈清冷皆屬於寒

上下所出及吐出溺出也

諸嘔吐酸暴注下迫皆屬於熱

酸酸水及沫也

故大要曰謹守病機各司其屬有者求之無者求之盛者責之虛者責之必先五勝疏其血氣令其調達而致和平此之謂也

深乎聖人之言理宜然也有無求之虛盛責之言悉由也夫如大寒而甚熱之不熱是無火也熱來復去晝見夜伏夜發晝止時節而動是無火也當助其心又如火熱而甚寒之不寒是無水也熱動復止倏忽往來時動時止是無水也當助其腎內格嘔逆食不得入是有火也病嘔而吐食入反出是無火也暴速注下食不及化是無水也溏泄而久止發無恒是無水也故心盛則生熱腎盛則生寒腎虛則寒動於中心虛則熱收於內又熱不得寒是無火也寒不得熱是無水也夫寒之不寒責其無水熱之不熱責其無火熱之不久責心之虛寒之不久責腎之少有者寫之無者補之虛者補之盛者寫之居其中間踈者壅塞令上下無礙氣血通調則寒熱自和陰陽調達矣是以方有治熱以寒寒之而少食不入攻寒以熱熱之而昏躁以生此則氣不踈通壅而爲是也紀於水火餘氣可知故曰有者求之無者求之盛者責之虛者責之令氣通調妙之道也五勝謂五行更勝也先

以五行寒暑溫涼濕酸鹹甘辛苦相勝爲法也

帝曰善五味陰陽之用何如岐伯曰辛甘發散爲陽酸苦涌泄爲陰鹹味涌泄爲陰淡味滲泄爲陽六者或收或散或緩或急或燥或潤或耎或堅以所利而行之調其氣使其平也

涌吐也泄利也滲泄小便也言水液自迴腸泌別汁滲入膀胱之中胞氣化之而爲溺以泄出也○新校正云按藏氣法時論云辛散酸收甘緩苦堅鹹耎又云辛酸甘苦鹹各有所利或散或收或緩或急或堅或耎四時五藏病隨五味所宜也

帝曰非調氣而得者治之柰何有毒無毒何先何後願聞其道

夫病生之類其有四焉一者始因氣動而内有所成二者因氣動而外有所成三者不因氣動而病生於内四者不因氣動而病生於外夫因氣動而内成者謂積聚癥瘕瘤氣癭起結核癲癇之類也外成者謂癰腫瘡瘍痂疥疽痔掉瘛浮腫目赤瘭胗胕腫痛痒之類也不因氣動而病生於内者謂留飲癖食飢飽勞損宿食霍亂悲恐喜怒想慕憂結之類也生於外者謂瘴氣賊魅蟲蛇蠱毒蜚尸鬼擊衝薄墜墮風寒暑濕斫射刺割捶仆之類也如是四類有獨治内而愈者有兼治内而愈者有獨治外而愈者有兼治外而愈者有先治内後治外而愈者有先治外後治内而愈者有須齊毒而攻擊者有須無毒而調引者凡此之類方法所施或重或輕或緩或急或收或散或潤或燥或耎或堅方士之用見解不同各擅己心好用非素故復問之

歧伯曰有毒無毒所治爲主適大小爲制也

言但能破積愈疾解急脫死則爲良方非必要言以先毒爲是後毒爲非無毒爲非有毒爲是必量病輕重大小制之者也

帝曰請言其制岐伯曰君一臣二制之小也君一臣三佐五制之中也君一臣三佐九制之大也寒者熱之熱者寒之微者逆之甚者從之

夫病之微小者猶人火也遇草而焫得木而燔可以濕伏可以水滅故逆其性氣以折之攻之病之太甚者猶龍火也得濕而焰遇水而燔不知其性以水濕折之適足以光焰詣天物窮方止矣識其性者反常之理以火逐之則燔灼自消焰火撲滅然逆之謂以寒攻熱以熱攻寒從之謂攻以寒熱雖從其性用不必皆同是以下文曰逆者正治從者反治從少從多觀其事也此之謂乎○新校正云按神農云藥有君臣佐使以相宣攝合和宜

用一君二臣三佐五使又可一君二臣九佐使也

堅者削之，客者除之，勞者溫之，結者散之，留者攻之，燥者濡之，急者緩之，散者收之，損者益之，逸者行之，驚者平之，上之下之，摩之浴之，薄之劫之，開之發之，適事爲故。

量病證候適事用之

帝曰：何謂逆從？岐伯曰：逆者正治，從者反治，從少從多，觀其事也。

言逆者正治也，從者反治也。逆病氣而正治，則以寒攻熱，以熱攻寒；雖從順病氣，乃反治法也。從少謂一同而二異，從多謂二同而三異也。言盡同者，是奇制也。

帝曰反治何謂岐伯曰熱因寒用寒因熱用塞因塞用通因通用必伏其所主而先其所因其始則同其終則異可使破積可使潰堅可使氣和可使必已

夫大寒內結稸聚疝瘕以熱攻除寒格熱反縱反縱之則痛發尤甚攻之則熱不得前方以蜜煎烏頭佐之以熱蜜多其藥服已便消是則張公從此而以熱因寒用也有火氣動服冷已過熱為寒格而身冷嘔噦嗌乾口苦惡熱好寒衆議僉同咸呼為熱冷治則甚其如之何逆其好則拒治順其心則加病若調寒熱逆冷熱必行則熱物冷服下嗌之後冷體既消熱性便發由是病氣隨愈嘔噦皆除情且不違而致大益醇酒冷飲則其類矣是則熱因寒用也所謂惡熱者凡諸食餘氣主於生者○新校正云詳主字疑誤上見之已

嘔也又病熱者寒攻不入惡其寒勝熱乃消除從其氣則熱增寒攻之則不入以豉豆諸冷藥酒漬或溫而服之酒熱氣同固無違忤酒熱既盡寒藥已行從其服食熱便隨散此則寒因熱用也或以諸冷物熱齊和之服之食之熱復圍解是亦寒因熱用也又熱食猪肉及粉葵乳以椒薑橘熱齊和之亦其類也又熱在下焦治亦然假如下氣虛乏中焦氣壅脹脇滿甚食已轉增粗工之見無能斷也欲散滿則恐虛其下補下則滿甚於中散氣則下焦轉虛補虛則中滿滋甚醫病參議言意皆同不救其虛且攻其滿藥入則減藥過依然故中滿下虛其病常在乃不知疎啓其中峻補於下少服則資壅多服則宣通由是而療中滿自除下虛斯實此則塞因塞用也又大熱內結注泄不止熱宜寒療結復已除以寒下之結散利止此則通因通用也又大寒凝內久利溏泄愈而復發綿歷歲年以熱下之寒去利止亦其類也投寒以熱涼以行之投熱少寒溫而行之始同終異斯之謂也

諸如此等其徒寔繁略舉宗兆猶是反治之道斯其類也○新校正云按五常政大論云治熱以寒温而行之治寒以熱涼而行之亦熱因寒用寒因熱用之義也

帝曰善氣調而得者何如岐伯曰逆之從之逆而從之從而逆之踈氣令調則其道也逆謂逆病氣以正治從謂從病氣而反療逆其氣以正治使其從順從其病以反取令彼和調故曰逆從也不踈其氣令道路開通則氣感寒熱而爲變始生化多端也

帝曰善病之中外何如岐伯曰從内之外者調其内從外之内者治其外各絶其源

從内之外而盛於外者先調其内而後治其外

從外之内而盛於内者先治其外而後調其内

皆謂先除其根屬後削其枝條也

中外不相及則治主病

中外不相及自各一病也

帝曰善火熱復惡寒發熱有如瘧狀或一日發或間數日發其故何也岐伯曰勝復之氣會遇之時有多少也陰氣多而陽氣少則其發日遠陽氣多而陰氣少則其發日近此勝復相薄盛衰之節瘧亦同法

陰陽齊等則一日之中寒熱相半陽多陰少則一日一發而但熱不寒陽少陰多則隔日

發而先寒後熱熱雖勝復之氣若氣微則一發後六七日乃發時謂之愈而復發或頻三日發而六七日止或隔十日發而四五日止者皆由氣之多少會遇與不會遇也俗見不遠乃謂鬼神暴疾而久祈禱避匿病勢已過旋至其斃病者殞殁自謂其分致令冤魂塞於冥路夭死盈於曠野仁愛鑑茲能不傷楚習俗既久難卒釐革非復可改末如之何悲哉悲哉

帝曰論言治寒以熱治熱以寒而方士不能廢繩墨而更其道也有病熱者寒之而熱有病寒者熱之而寒二者皆在新病復起柰何治

謂治之而病不衰退反因藥寒熱而隨生寒熱病之新者也亦有止而復發者亦有藥在而除藥去而發者亦有全不息者方士若廢此繩墨則無更新之法欲依標格則病熱不

除捨之則阻彼凢情治之則藥無能驗心迷意惑無由通悟不知其道何恃而爲因藥病生新舊相對欲求其愈安可柰何

岐伯曰諸寒之而熱者取之陰熱之而寒者取之陽所謂求其屬也

言益火之源以消陰翳壯水之主以制陽光故曰求其屬也夫粗工褊淺學未精深以熱攻寒以寒療熱治熱未已而冷疾已生攻寒日深而熱病更起熱起而中寒尚在寒生而外熱不除欲攻寒則懼熱不前欲療熱則思寒又止進退交戰危亟已臻豈知藏府之源有寒熱温凉之主哉夫取心者不必齊以熱取腎者不必齊以寒但益心之陽寒亦通行強腎之陰熱之猶可觀斯之故或治熱以熱治寒以寒萬舉萬生孰知其意思方智極理盡辭窮嗚呼人之死者豈謂命不謂方士愚昧而殺之耶

帝曰善服寒而反熱服熱而反寒其故何也歧伯曰治其王氣是以反也物體有寒熱氣性有陰陽觸王之氣則強其用也夫肝氣溫和心氣暑熱肺氣清凉腎氣寒冽脾氣兼并之故也春以清治肝而反溫夏以冷治心而反熱秋以溫治肺而反清冬以熱治腎而反寒蓋由補益王氣大甚也補王大甚則藏之寒熱氣自多矣

帝曰不治王而然者何也歧伯曰悉乎哉問也不治五味屬也夫五味入胃各歸所喜攻酸先入肝苦先入心甘先入脾辛先入肺鹹先入腎新校正云按宣明五氣篇云五味所入酸入肝辛入肺苦入心鹹入腎甘入脾是謂五入久而增氣物化之常也氣增而久夭之由也

夫入肝爲温入心爲熱入肺爲清入腎爲寒入脾爲至陰而四氣兼之皆爲增其味而益其氣故各從本藏之氣用爾故久服黄連苦參而反熱者此其類也餘味皆然但人意踈忽不能精候耳故曰久而增氣物化之常也氣增不已益歲年則藏氣偏勝氣有偏勝則有偏絶藏有偏絶則有暴夭者故曰氣增而久夭之由也是以正理觀化藥集商較服餌曰藥不具五味不備四氣而久服之雖且獲勝益久必致暴夭此之謂也絶粒服餌則不暴亡斯何由哉無五穀味資助故也復令食穀其亦夭焉

帝曰善方制君臣何謂也岐伯曰主病之謂君佐君之謂臣應臣之謂使非上下三品之謂也

上藥爲君中藥爲臣下藥爲佐使所以異善惡之名位服餌之道當從此爲法治病之道不必皆然以主病者爲君佐君者爲臣應臣之用者爲使皆所以贊成方用也

帝曰三品何謂岐伯曰所以明善惡之殊貫也

三品上中下三品此明藥善惡不同性用也新校正云按神農云上藥爲君主養命以應天中藥爲臣主養性以應人下藥爲佐使主治病以應地

帝曰善病之中外何如

前問病之中外謂調氣之法今此未盡故復問之此下對當次前求其屬也之下應古之錯簡也

岐伯曰調氣之方必别陰陽定其中外各守其鄉内者内治外者外治微者調之其次平之盛者奪之汗之下之寒熱溫涼衰之以屬隨其攸利

病有中外治有表裏在内者以内治法和之在外者以外治法和之其次大者以平氣法平之盛甚不已則奪其氣令其衰也假如小寒之氣温以和之大寒之氣熱以取之甚寒之氣則下奪之奪之不已則逆折之折之不盡則求其屬以衰之小熱之氣涼以和之大熱之氣寒以取之甚熱之氣則汗發之發之不盡則逆制之制之不盡則求其屬以衰之故曰汗之下之寒熱温涼衰之以屬隨其攸利攸所也

謹道如法萬舉萬全氣血正平長有天命

守道以行舉無不中故能驅役草石召遣神靈調御陰陽蠲除衆疾血氣保平和之候天真無耗竭之由夫如是者蓋以舒卷在心去留從意故精神内守壽命靈長

帝曰善

新刊補註釋文黄帝内經素問卷之十一下

黄帝素問 十四

新刊補註釋文黄帝內經素問卷之十二

○著至教論篇第七十五

新校正云按全元起本在四時病類論之本末

黄帝坐明堂召雷公而問之曰子知醫之道乎

明堂布政之宫也八窻四闥上圓下方在國之南故稱明堂夫求民之瘼恤民之隱大聖之用心故召引雷公問拯濟生靈之道

雷公對曰誦而頗能解解而未能别别而未能明明而未能彰

言所知解但得法守數而已猶未能深盡精微之妙用也○新校正云按楊上善云習道有五一誦二解三别四明五彰

足以治群僚不足至侯王公不敢自高其道然則帝衣鞠血食主療亦殊矣

願得受樹天之度四時陰陽合之別星辰與日月光以彰經術後世益明樹天之度言高遠不極四時陰陽合之言順氣序也別星辰與日月光言別學者二明大小異也○新校正云按太素別作列字

上通神農著至教疑於二皇公欲其經法明著通於神農使後世見之疑是二皇並行之教○新校正云按全元起本及太素疑作擬

帝曰善無失之此皆陰陽表裏上下雌雄相輸

應也而道上知天文下知地理中知人事可以長久以教衆庶亦不疑殆醫道論篇可傳後世可以爲寶

以明著故

雷公曰請受道諷誦用解

誦亦諭也諷諭者所以比切近而令解也

帝曰子不聞陰陽傳乎曰不知曰夫三陽天爲業

天爲業言三陽之氣在人身形所行居上也陰陽傳上古書名化者〇新校正云按太素天作大

上下無常合而病至偏害陰陽

上下無常言氣乖適不定在上下也合而病至謂手足三陽氣相合而為病至也陽并至則精氣微故偏損害陰陽之用也

雷公曰三陽莫當請聞其解

莫當言氣并至而不可當

帝曰三陽獨至者是三陽并至并至如風雨上為巔疾下為漏病

并至謂手三陽足三陽氣并合而至也足太陽脉起於目内眥上額交巔上其支别者從巔至耳上角其直行者從巔入絡腦還出别下項從肩髆内俠脊抵腰中入循膂絡腎屬膀胱手太陽脉起於手循臂上行交肩上入缺盆絡心循咽下膈抵胃屬小腸故上為巔

疾下爲漏病也漏血膿出所謂并至如風雨者言無常準也故下文曰○新校正云按楊上善云漏病謂膀胱漏洩大小便數不禁守也

外無期內無正不中經紀診無上下以書別

言三陽并至上下無常外無色氣可期內無正經常爾所至之時皆不中經紀綱紀所病之證又復上下無常以書記銓量乃應分別爾

雷公曰臣治疎愈說意而已

雷公言臣之所治稀得痊愈請言深意而已疑心乃止也謂得說則疑心乃止

帝曰三陽者至陽也

六陽并合故曰至盛之陽也

積并則爲驚病起疾風至如礔礰九竅皆塞陽

氣滂溢乾嗌喉塞

積謂重也言六陽重并決盛莫當陽憤鬱惟盛是爲滂溢無涯故九竅塞也

并於陰則上下無常薄爲腸澼

陰謂藏也然陽薄於藏爲病亦上下無常定之診若在下爲病便數赤白

此謂三陽直心坐不得起卧者便身全三陽之病

足大陽脉循肩下至腰故坐不得起卧便身全也所以然者起則陽盛鼓故常欲得卧卧則經氣約故身安全○新校正云按甲乙經便身全作身重

且以知天下何以別陰陽應四時合之五行

言知未備也

雷公曰

新校正云按自此至篇末全元起本别爲一篇名方盛衰也

陽言不别隂言不理請起受解以爲至道

帝未許爲深知故重請也

帝曰子若受傳不知合至道以惑師教語子至道之要

不知其要流散無窮後世相習去聖久遠而學者各自是其法則惑亂於師氏之教旨矣

病傷五藏筋骨以消子言不明不别是世主學盡矣

言病之深重尚不明别然輕微者亦向開愈令得遍知耶然猶是不知明世主學教之道

從斯盡矣

腎且絶悗悗日暮從容不出人事不殷

舉藏之易知者也然腎脉且絶則心神內爍筋骨脉肉日晚酸空也暮晚也若以此之類諸藏氣但少不出者當人事萎弱不復殷多所以爾者是則腎不足非傷損故也○新校正云按太素作腎且絶死死旦暮悗烏貫切

○示從容論篇第七十六

新校正云按全元起本在第八卷名從容別白黑

黃帝燕坐召雷公而問之曰汝受術誦書者若能覽觀雜學及於比類通合道理爲余言子所長五藏六府膽胃大小腸脾胞膀胱腦髓涕唾

哭泣悲哀水所從行此皆人之所生治之過失

五藏別論黄帝問曰余聞方士或以腦髓爲藏或以腸胃爲藏或以爲府敢問更相反皆自謂是不知其道願聞其說岐伯曰腦髓骨脉膽女子胞此六者地氣所生也皆藏於陰而象於地故藏而不寫名曰奇恒之府夫胃大腸小腸三焦膀胱此五者天氣之所生也其氣象天寫而不藏此受五藏濁氣名曰傳化之府是以古之治病者以爲過失也

子務明之可以十全即不能知爲世所怨

不能知之動傷生者故人聞議論多有怨咎之心焉

雷公曰臣請誦脉經上下篇甚衆多矣別異比類猶未能以十全又安足以明之

言臣所請誦脉經兩篇衆多別異比類例猶未能以義而會見十全又何足以心明至理

乎安猶何也

帝曰子别試通五藏之過六府之所不和鍼石之敗毒藥所宜湯液滋味具言其狀悉言以對請問不知

過謂過失所謂不率常候而生病者也毒藥攻邪滋味充養試公之問知與不知爾○新校正云按太素别試作誠别

雷公曰肝虚腎虚脾虚皆令人體重煩冤當投毒藥刺灸砭石湯液或已或不已願聞其解

公以帝問使言五藏之過毒藥湯液滋味故問此病也

帝曰公何年之長而問之少余眞問以自謬也

言問之不相應也以問不相應故言余真發問以自招謬誤之對也

吾問子窈冥子言上下篇以對何也

窈冥謂不可見者則形氣榮衛也八正神明論岐伯對黃帝曰觀其冥冥者言形氣榮衛之不形於外而工獨知之以日之寒溫月之虛盛四時氣之浮沉參伍相合而調之工常先見之然而不形於外故曰觀於冥冥焉由此帝故曰吾問子窈冥也然肝虛腎虛脾虛則上下篇之旨帝故曰子言上下篇以對何也

夫脾虛浮似肺腎小浮似脾肝急沉散似腎此皆工之所時亂也然從容得之

脾虛脉浮候則似肺腎小浮上候則似脾肝急沉散候則似腎者何以然以三藏相近故脉象參差而相類也是以工惑亂之為治之過失矣雖爾乎猶宜從容安緩審此類之而

內經十二　六

待二藏之形候矣何以取之然浮而緩曰脾浮而短曰肺小浮而滑曰心急緊而散曰肝搏沉而滑曰腎不能此類則疑亂彌甚

若夫三藏土木水參居此童子之所知問之何也

脾合土肝合木腎合水三藏皆在鬲下居止相近也

雷公曰於此有人頭痛筋攣骨重怯然少氣噦噫腹滿時驚不嗜卧此何藏之發也脉浮而弦切之石堅不知其解復問所以三藏者以知其比類也

脉有浮弦石堅故云問所以三藏者以知其比類也

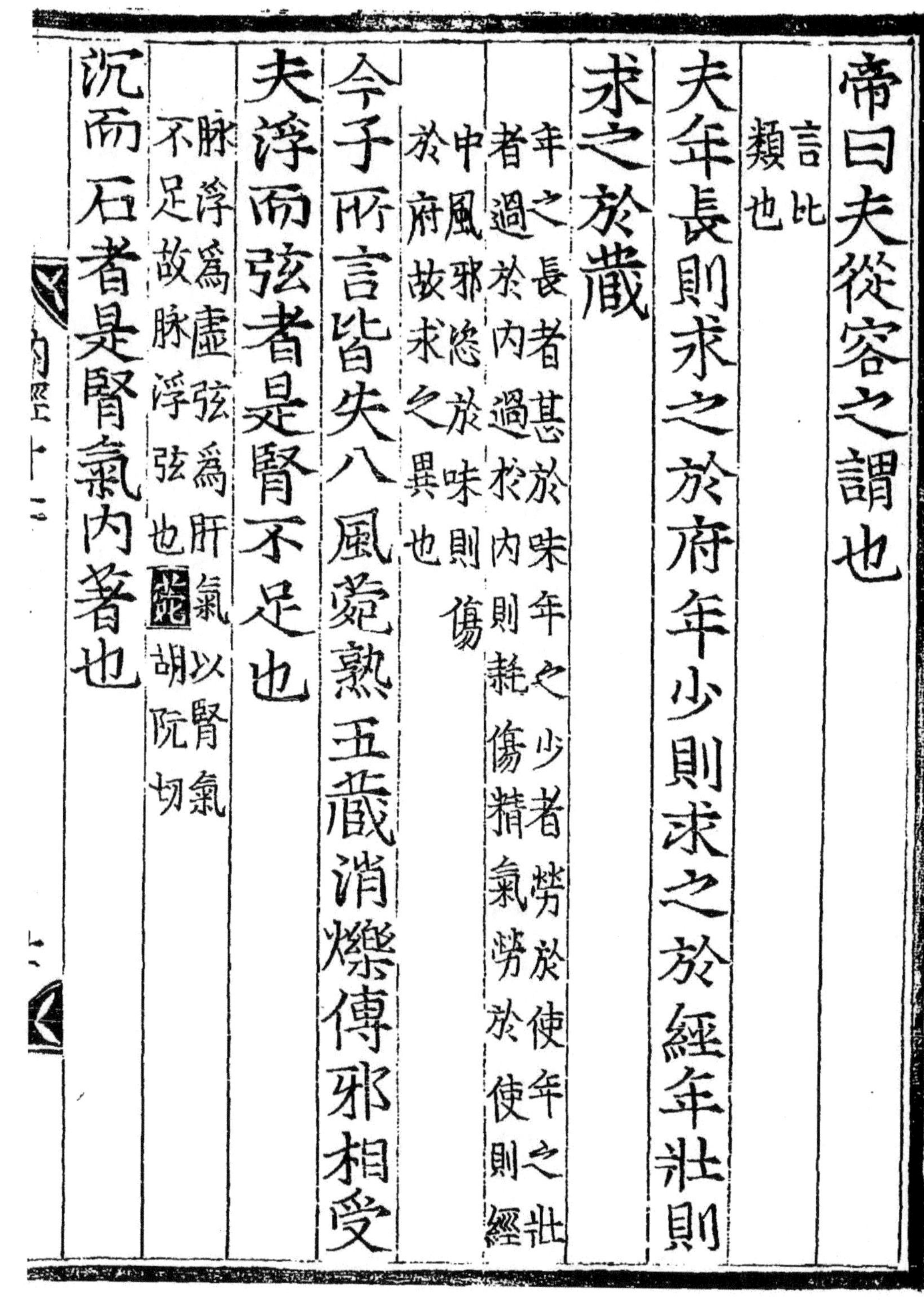

帝曰夫從容之謂也言比類也

夫年長則求之於府年少則求之於經年壯則求之於藏年之長者甚於味年之少者勞於使年之壯者過於內過於內則耗傷精氣勞於使則經中風邪恣於味則傷於府故求之異也

今子所言皆失八風菀熱五藏消爍傳邪相受

夫浮而弦者是腎不足也脉浮爲虛弦爲肝氣以腎氣不足故脉浮弦也菀胡阮切

沉而石者是腎氣內著也

石之言堅也著謂腎氣内薄著而不行也

怯然少氣者是水道不行形氣消索也

腎氣不足故水道不行肺藏被衝故形氣消散索盡也

欬嗽煩寃者是腎氣之逆也

腎氣内著上歸於母也

一人之氣病在一藏也若言三藏俱行不在法也

經不然也

雷公曰於此有人四支解墮喘欬血泄而愚診之以爲傷肺切脉浮大而緊愚不敢治粗工下

度

砭石病愈多出血血止身輕此何物也帝曰子所能治知亦衆多與此病失矣以爲傷肺而不敢治是乃狂見法所失矣砭方念切譬以鴻飛亦冲於天鴻飛冲天偶然而得豈其羽翮之所能哉粗工下砭石亦猶是矣夫聖人之治病循法守度援物比類化之冥冥循上及下何必守經經謂經脉非經法也今夫脉浮大虛者是脾氣之外絶去胃外歸陽明也

足大陰絡支別者入絡腸胃是以脾氣外絶不至胃外歸陽明也

夫二火不勝三水是以脉亂而無常也

二火謂二陽藏三水謂三陰藏二陽藏者心肺也以在鬲上故二陰藏者肝脾腎也以在鬲下故然三陰之氣上勝二陽陽不勝陰故脉亂而無常也

四支解墮此脾精之不行也

土主四支故四支解墮脾精不化故使之然

喘欬者是水氣并陽明也

胃氣逆入於胃故水氣并於陽明

血泄者脉急血無所行也

泄謂泄出也然脉氣數急血溢於中血不入經故為血泄以脉奔急而血溢故曰血無所

行也

若夫以爲傷肺者由失以狂也不引比類是知不明也

言所識不明不能比類以爲傷肺由失狂言耳

夫傷肺者脾氣不守胃氣不清經氣不爲使眞藏壞决經脉傍絶五藏漏泄不衄則嘔此二者不相類也

肺氣傷則脾外救故云脾氣不守肺藏損則氣不行氣不行則胃滿故云胃氣不清肺者主行榮衛陰陽故肺傷則經脉不能爲之行使化眞藏謂肺藏也若肺藏損壞皮膜决破經脉傍絶而不流行五藏之氣上溢而漏泄者不衄血則嘔血也何者肺主鼻胃應口也

然口鼻者氣之門戶也今肺藏已損胃氣不清不上衄則血下流於胃中故不衄出則嘔出也然傷肺傷脾衄血泄血標出且異本歸亦殊故此二者不相類也

譬如天之無形地之無理白與黑相去遠矣

言傷肺傷脾形證懸別譬天地之相遠如黑白之異象也

是失吾過矣以子知之故不告子

是猶此也言雷公子之此見病疎者是吾不教子比類之道故自謂過也

明引比類從容是以名曰診輕

新校正云按太素作經

是謂至道也

明引形證比量類例今從容之旨則輕微之者亦不失矣所以然者何哉以道之至妙而

能彌也從容上古經篇名也何以合之陰陽類論雷公曰臣悉盡意受傳經脉頌得從容之道以合從容明古文有從容矣

○疏五過論篇第七十七新校正云按全元起本在第八卷名論過失

黄帝曰嗚呼遠哉閔閔乎若視深淵若迎浮雲視深淵尚可測迎浮雲莫知其際嗚呼遠哉歎至道之不極也閔閔乎言妙用之不窮也深淵清澄見之必定故可測浮雲漂寓際不守常故莫知○新校正云詳此文與六微旨論文重聖人之術爲萬民式論裁志意必有法則循經守數按循醫事爲萬民副故事有五過四德汝

知之乎

慎五過則敬順四時之德氣矣然德者道之用生之主故不可不敬順之也上古天真論曰所以能年皆度百歲而動作不衰者以其德全不危也靈樞經曰天之在我者德也由此則天降德氣人賴而生生氣抱神上通於天生氣通天論曰夫自古通天者生之本此之謂也○新校正云按爲萬民副楊上善云副助也

雷公避席再拜曰臣年幼小蒙愚以惑不聞五過與四德比類形名虛引其經心無所對

經未師授心匪生知功業微薄故卑辭也

帝曰凡未診病者必問嘗貴後賤雖不中邪病從內生名曰脫營

伸屈故也貴之尊榮賤之屈辱心懷眷慕志結憂惶故雖不中邪而病從内生血脉虚减故曰脱營

嘗富後貧名曰失精五氣留連病有所并

富而從欲貧奪豐財内結憂煎外悲過物然則心從想慕神隨往計榮衛之道閉以遲留氣血不行積并爲病

醫工診之不在藏府不變軀形診之而疑不知病名

言病之初也病由想戀所爲故未居藏府事因情念所起故不變軀形醫不悉之故診而疑也

身體日減氣虚無精

言病之次也氣血相迫形肉消爍故身體日減陰陽應象大論曰氣歸精精食氣今氣虚不化精無所滋故也

病深無氣洒洒然時驚

言病之深也病氣深穀氣盡陽氣内薄故惡寒而驚洒洒寒貌

病深者以其外耗於衛内奪於榮

血爲憂煎氣隨悲減故外耗於衛内奪於榮病深者何以此耗奪故爾○新校正云按太素病深者以其作病深

良工所失不知病情此亦治之一過也

失謂失問其所始也

凡欲診病者必問飲食居處

飲食居處五方不同故問之也異法方宜論曰東方之域天地之所始生魚鹽之地海濱傍水其民食魚而嗜鹹安其處美其食西方金玉之域沙石之處天地之所收引其民陵居而多風水土剛強其民不衣而褐薦其民華食而脂肥北方者天地所閉藏之域其地高陵居風寒冰冽其民樂野處而乳食南方者天地所長養陽之所盛處其地下水土弱霧露之所聚其民嗜酸而食胕中央者其地平以濕天地所以生萬物也衆其民食雜而不勞由此則診病之道當先問焉故聖人雜合以治各得其所宜此之謂矣

暴樂暴苦始樂後苦

新校正云按太素作始苦

皆傷精氣精氣竭絕形體毀沮

喜則氣緩悲則氣消然悲哀動中者竭絕而失生故精氣竭絕形體殘毀心神沮喪矣

暴怒傷陰暴喜傷陽

怒則氣逆故傷陰喜則氣緩故傷陽

厥氣上行滿脉去形

厥氣逆也逆氣上行滿於經絡則神氣憚散去離形骸矣

愚醫治之不知補寫不知病情精華日脱邪氣迺并此治之二過也

不知喜怒哀樂之殊情槩爲補寫而同貫則五藏精華之氣日脱邪氣薄蝕而乃并於正眞之氣矣

善爲脉者必以比類奇恒從容知之爲工而不知道此診之不足貴此治之三過也

奇恒謂氣候奇異於恒常之候也從容謂分
別藏氣虛實脉見高下幾相似也示從容論
曰脾虛浮似肺腎小浮似脾肝急沉散似腎
此皆工之所時亂然從容分別而得之矣

診有三常必問貴賤封君敗傷及欲侯王

貴則形樂志樂賤則形苦志苦苦樂殊貫故
先問也封君敗傷降君之位封公卿也及欲
侯王謂情慕尊貴而妄爲不已
也○新校正云按太素欲作公

故貴脫勢雖不中邪精神內傷身必敗亡

憂惶煎迫
怫結所爲

始富後貧雖不傷邪皮焦筋屈痿躄爲攣

以五藏氣留連病
有所并而爲是也

醫不能嚴不能動神外爲柔弱亂至失常病不

能移則醫事不行此治之四過也

罰戳謂戒所以禁非也所以令從命也外爲柔弱言委隨而順從也然戒不足以禁非動不足以從令委隨任物亂失天常病且不移何醫之有也

凡診者必知終始有知餘緒切脉問名當合男女

始終謂氣色也脉要精微論曰知外者終而始之明知五色氣象終而復始也餘緒謂病發端之餘緒也切謂以指按脉也問名謂問病證之名也男子陽氣多而左脉大爲順女子陰氣多而右脉大爲順故宜以候常先合之也

離絕菀結憂恐喜怒五藏空虛血氣離守工不能知何術之語

離謂離間親愛絶謂絶念所懷菀謂菀積思慮結謂結固餘怨夫間親愛者魂遊絶所懷者意喪積所慮者神勞結餘怨者志苦憂愁者閉塞而不行恐懼者蕩憚而失守盛怒者迷惑而不治喜樂者憚散而不藏由是八者故五藏空虛血氣離守工不思曉又何言哉

○新校正云按蕩憚而失守甲乙經作不收憚音但

嘗富大傷斬筋絶脉身體復行令澤不息

斬筋絶脉言非分之過損也身體雖已復舊而行且令津液不爲滋息也何者精氣耗減也澤液也、

故傷敗結留薄歸陽膿積寒炅

陽謂諸陽脉及六府也炅謂熱也言非分傷敗筋脉之氣血氣内結留而不去薄於陽脉則化爲膿久積腹中而外爲寒熱也

粗工治之亟刺陰陽身體解散四支轉筋死日有期

不知寒熱爲膿積所生以爲常熱之疾槩施其法數刺陰陽經脉氣奪病甚故身體解散而不用四支廢運而轉筋如是故死日有期豈謂命不謂醫耶

醫不能明不問所發唯言死日亦爲粗工此治之五過也

言粗工不必謂解不備學者縱備盡三世經法診不備三常療不慎五過不求餘緒不問持身亦足爲粗畧之醫爾

凡此五者皆受術不通人事不明也

言是五者粗畧受術之徒未足以通悟精微之理人間之事尚猶懵然

故曰聖人之治病也必知天地陰陽四時經紀五藏六府雌雄表裏刺灸砭石毒藥所主從容人事以明經道貴賤貧富各異品理問年少長勇怯之理審於部分知病本始八正九候診必副矣

聖人之備識也如此工宜勉之

治病之道氣内爲實循求其理求之不得過在表裏

工之治病必在於形氣之内求有過者是爲聖人之實也求之不得則以藏府之氣陰陽表裏而察之。新校正云按全元起本及太素作氣内爲實楊上善云天地間氣爲外氣氣

人身中氣爲内氣外氣氣成萬物是爲外實内氣榮衛氣生故爲内實治病能求内氣之理是治病之要也

守數據治無失俞理能行此術終身不殆

守數謂血氣多少及刺深淺之數也據治謂據穴俞所治之旨而用之也但守數據治而用之則不失穴俞之理矣殆者危也

不知俞理五藏菀熟癰發六府

菀積也熟熱也五藏積熱六府受之陽熱相薄熱之所過則爲癰

診病不審是謂失常

謂失常經術正用之道也

謹守此治與經相明

謂前氣内循求俞會之理也

上經下經揆度陰陽奇恒五中決以明堂審於終始可以横行

所謂上經者言氣之通天也下經者言病之變化也言此二經揆度陰陽之氣奇恒五中者皆決於明堂之部分也揆度者度病之深淺也奇恒者言奇病也五中者謂五藏之氣色也夫明堂者所以視萬物别白黑審長短故曰決以明堂也審於終始者謂審察五色因王終而復始也夫道循如是應用不窮目牛無全萬舉萬當由斯高遠故可以横行於世間矣

○徵四失論篇第七十八

新校正云按全元起本在第八卷名方論得失明著

黃帝在明堂雷公侍坐黃帝曰夫子所通書受事衆多矣試言得失之意所以得之所以失之雷公對曰循經受業皆言十全其時有過失者願聞其事解也言循學經師受傳事業皆謂十全於人庶及乎施用正術宣行至道或得失之於世中故請聞其解說也

帝曰子年少智未及邪將言以雜合邪言謂年少智未及而不得十全耶爲復且以言而雜合衆人之用耶帝疑先知而反問也

夫經脉十二絡脉三百六十五此皆人之所明知工之所循用也

謂循學而用也

所以不十全者精神不專志意不理外內相失

故時疑殆

外謂色內謂脉也然精神不專於循用志意不從於條理所謂粗略揆度失常故色脉相失而時自疑殆也

診不知陰陽逆從之理此治之一失矣

脉要精微論曰冬至四十五日陽氣微上陰氣微下夏至四十五日陰氣微上陽氣微下陰陽有時與脉爲期又曰微妙在脉不可不察察之有紀從陰陽始由此故診不知陰陽逆從之理爲一失矣

受師不卒妄作雜術謬言爲道更名自功

新校正云按
太素功作巧
妄用砭石後遺身咎此治之二失也
不從師術惟妄是爲易古變常自功循己遺
身之咎不亦宜乎故爲失二也老子曰無遺
身殃是謂襲常
盖嫌其妄也
不適貧富貴賤之居坐之薄厚形之寒温不適
飲食之宜不别人之勇怯不知比類足以自亂
不足以自明此治之三失也
貧賤者勞富貴者佚佚則邪不能傷易傷以
勞勞則易傷以邪其於勞也則富者處貴者
之半其於邪也則貧者居賤者之半例率如
此然世禄之家或此殊矣夫勇者難感怯者
易傷二者不同盖以其神氣有壯弱也觀其
貧賤富貴之義則坐之薄厚形之寒温飲食

之宜理可知矣不知比類用必乘衷則適足以汨亂心緒豈通明之可望乎故爲失三也

診病不問其始憂患飲食之失節起居之過度或傷於毒不先言此卒持寸口何病能中妄言作名爲粗所窮此治之四失也

憂謂憂懼也患謂患難也飲食失節言甚飽也起居過度言讀耗也或傷於毒謂病不可拘於藏府相乘之法而爲療也卒持寸口謂不先持寸口之脉和平與不平也然工巧備識四術猶疑故診不能中病之形名言不能合經而妄作粗略醫者尚能中妄診之違背况深明者見而不謂非乎故爲失四也

是以世人之語者馳千里之外不明尺寸之論診無人事

言工之得失毀譽在世人之言語皆可至千里之外然其不明尺寸之診論當以何事知見於人耶

治數之道從容之葆治王也葆平也言診數當王之氣皆以氣高下而爲比類之原本也故下文曰葆音保坐持寸口診不中五脉百病所起始以自怨遺師其咎自不能深學道術而致診差違始上申怨謗之詞遺過咎於師氏者未之有也是故治不能循理棄術於市妄治時愈愚心自得不能修學至理乃衒賣於市廛人不信之謂乎虛謬故云棄術於市也然愚者百慮而一

得何自功之有耶○新校正云按全元起本作自巧太素作自功

嗚呼窈窈冥冥孰知其道

今詳熟當作孰

道之大者擬於天地配於四海汝不知道之諭受以明爲晦

嗚呼數也窈窈冥冥言玄遠也至道玄遠誰得知之孰誰也擬於天地言高下之不可量也配於四海言深廣之不可測也然不能曉諭於道則受明道而成暗昧也晦暗也

○陰陽類論篇第七十九

新校正云按全元起本在第八卷

孟春始至黄帝燕坐臨觀八極正八風之氣而

問雷公曰陰陽之類經脉之道五中所主何藏最貴

孟月春始至謂立春之日也燕安也觀八極謂視八方遠際之邑正八風謂候八方所至之風朝會於太一之者也五中謂五藏○新校正云詳八風朝太一具天元玉册中又按楊上善云夫天爲陽地爲陰八爲和陰無其陽衰殺而已陽無其陰生長不止生長不止則傷於陰陰傷則陰災起衰殺不已則傷於陽陽傷則陽禍生矣故須聖人在天地間和陰陽氣令萬物生也和氣之道謂先修身爲德則陰陽氣和陰陽氣和則八節風調八節風調則八虛風止於是疵癘不起嘉祥皆集此亦不知所以然而然也故黃帝問身之經脉貴賤依之調攝修德於身以正八風之氣

雷公對曰春甲乙青中主肝治七十二日是脉

之主時臣以其藏最貴

東方甲乙春氣主之自然青色内通肝也金匱真言論曰東方青色入通於肝故曰青中主肝也然五行之氣各主七十二日五七二五積而乘之則終一歲之數三百六十日歲云治七十二日也夫四時之氣以春爲之王藏之應肝藏合之公故以其藏爲最貴藏或爲道非也

帝曰却念上下經陰陽從容子所言貴最其下也

從容謂安緩比類也帝念脉經上下篇陰陽比類形氣不以肝藏爲貴故謂公之所貴最其下也

雷公致齋七日旦復侍坐

悟非致齋以洗心頦益故坐而復請

帝曰三陽為經二陽為維一陽為游部

經謂經綸所以濟成務維謂維持所以繫天真游謂游行部謂身形部分也故主氣者濟成務化穀者繫天真主色者散布精微游行諸部也○新校正云按楊上善云三陽足大陽脈也從目內眥上頭分為四道下項并正別脈上下六道以行於背與身為經二陽足陽明脈也從鼻而起下咽分為四道并正別脈六道上下行腹綱維於身一陽足少陽脈也起目外眥絡頭分為四道下缺盆并正別脈六道上下主經營百節流氣三部故曰游部

此知五藏終始

觀其經綸維繫游部之義則五藏之終始可謂知矣

三陽爲表二陰爲裏

三陽大陽二陰少陰也少陰與大陽爲表裏故曰三陽爲表二陰爲裏

一陰至絕作朔晦却具合以正其理

一陰厥陰也厥猶盡也靈樞經曰亥爲左足之厥陰戌爲右足之厥陰兩陰俱盡故曰厥陰夫陰盡爲晦陰生爲朔厥陰者以陰盡爲義也微其氣王則朔適言其氣盡則晦既見其朔又當其晦故曰一陰至絕作朔晦也然微彼俱盡之陰合此發生之木以正應五行之理而無替循環故云却具合以正其理也○新校正云按詳註言陰盡爲晦陰生爲朔疑是陽生爲朔

雷公曰受業未能明

言未明氣候之應見

帝曰所謂三陽者大陽爲經

陽氣盛大故曰大陽

三陽脉至手大陰而弦浮而不沉決以度察以心合之陰陽之論

大陰爲寸口也寸口者手大陰也脉氣之所行故脉皆至於寸口也大陽之脉洪大以長今之弦浮不沉則當約以四時高下之度而斷決之察以五藏異同之候而參合之以應陰陽之論知其藏否耳

所謂二陽者陽明也

靈樞經曰辰爲左足之陽明巳爲右足之陽明兩陽合明故曰二陽者陽明也

至手大陰弦而沉急不鼓炅至以病皆死

鼓謂鼓動見熱也陽明之脉浮大而短今弦而急沉不鼓者是陰氣勝陽木來乘土也然陰氣勝陽木來乘土而反熱病至者是陽氣之衰敗也猶燈之焰欲滅反明故皆死也

一陽者少陽也陽氣未大故曰少陽

至手太陰上連人迎弦急懸不絕此少陽之病也人迎謂結喉兩傍同身寸之一寸五分脉動應手者也弦為少陽之脉今急懸不絕是經氣不足故曰少陽之病也懸者謂如懸物動搖者也

專陰則死專獨也言其獨有陰氣而無陽氣則死

三陰者六經之所主也

三陰者大陰也言所以諸脉皆至手大陰者何耶以是六經之主故也六經謂三陰三陽之經脉也所以至手大陰者何以肺朝百脉之氣皆交會於氣口也故下文曰

交於大陰

此正發明肺朝百脉之義也經脉别論云肺朝百脉

伏鼓不浮上控志心

脉伏鼓擊而不上浮者是心氣不足故上控引於心而爲病也志心謂小心也刺禁論曰七節之旁中有小心此之謂也○新校正云按楊上善云肺脉浮濇此爲平也今見伏鼓是腎脉也足少陰脉貫脊屬腎上入肺中從肺出絡心肺氣下入腎志上入心神也王氏謂志心爲小心義未通

二陰至肺其氣歸膀胱外連脾胃

二陰謂足少陰腎之脉少陰之脉别行者入跟中以上至股内後廉貫脊屬腎絡膀胱其直行者從腎上貫肝鬲入肺中故上至於肺其氣歸於膀胱外連於脾胃

一陰獨至經絶氣浮不鼓鉤而滑

若一陰獨至肺經氣内絶則氣浮不鼓於手若經不内絶則鉤而滑○新校正云按揚上善云一陰厥陰也

此六脉者乍陰乍陽交屬相并繆通五藏合於陰陽

或陰見陽脉陽見陰脉故云乍陰乍陽也所以然者以氣交會故爾當審比類以知陰陽也

先至爲主後至爲客
脉氣作陰見陽作陽見陰何以別之當以先至爲主後至爲客也至謂至寸口也
雷公曰臣悉盡意受傳經脉頌得從容之道以合從容不知陰陽不知雌雄
頌謂令誦也公言臣所頌誦今從容之妙道欲合上古從容而比類形名猶不知陰陽尊卑之次不知雌雄殊目之義請行其旨以明著至教陰陽雌雄相輸應也
帝曰三陽爲父
父所以督濟群小言高尊也
二陽爲衛
衛所以却禦諸邪言扶生也

一陽爲紀

紀所以綱紀形氣言其平也

三陰爲母

母所以育養諸子言滋生也

二陰爲雌

雌者陰之目也

一陰爲獨使

一陰之藏外合三焦三焦主喝導諸氣名爲使者故云獨使也

二陽一陰陽明主病不勝一陰脉耎而動九竅皆沉

一陰厥陰肝木氣也二陽陽明胃土氣也木土相薄故陽明主病也木伐其土土不勝木故云不勝一陰脉耎而動者耎爲胃氣動謂木刑土木相持則胃氣不轉故九竅沉滯而不通利也

三陽一陰大陽脉勝一陰不能止內亂五藏外爲驚駭

三陽是大陽之氣故曰大陽勝也木生火今盛陽燔木木復受之陽氣洪盛內爲狂熱故內亂五藏也肝主驚駭故外形驚駭之狀也

二陰二陽病在肺少陰脉沉勝肺傷脾外傷四支

二陰謂手少陰心之脉也二陽亦胃脉也心胃合病邪上下并故內傷脾外勝肺也所以

然者胃爲脾府心火勝金故爾脾主四支故脾傷則外傷於四支矣少陰脉謂手掌後同身寸之五分當小指神門之脉也○新校正云詳此二陽乃手陽明大陽肺之府也少陰心火勝金之府故云病在肺王氏以二陽爲胃義未甚通況又以見胃病腎之説此乃是心病肺也又全元起本及甲乙經太素等並云二陰一陽

二陰二陽皆交至病在腎駡詈妄行巔疾爲狂

二陰爲腎水之脉也二陽爲胃土之府也土氣刑水故交至而病在腎也以腎水不勝故胃盛而巔爲狂

二陰一陽病出於腎陰氣客遊於心脘下空竅堤閉塞不通四支别離

一陽謂手少陽三焦心主火之府也水上干火故火病出於腎陰氣客游於心也何者腎

之脉從腎上貫肝鬲入肺中其支別者從肺中出絡心注胷中故如是也然空竅陰客上游胃不能制胃不能制是土氣衰故脘下空竅皆不通也言堤者謂如堤堰不容泄漏胃脉循足心脉絡手故四支如別離而不用也○新校正云按王氏云胃脉循足按此二陰一陽病出於腎胃當作腎

一陰一陽代絕此陰氣至心上下無常出入不知喉咽乾燥病在土脾

一陰厥陰脉一陽少陽脉並木之氣也代絕者動而中止也以其代絕故爲病也木氣生火故病生而陰氣至心也夫肝膽之氣上至頭首下至腰足中至腹脇故病發上下無常處也若受納不知其味竅寫不知其度而喉咽乾燥者喉嚨之後又咽屬爲膽之使故病則咽喉乾燥雖病在脾土之中盖由肝膽之所爲爾

二陽三陰至陰皆在陰不過陽陽氣不能止陰陰陽并絶浮爲血瘕沉爲膿胕二陽陽明三陰手太陰至陰脾也故曰至陰皆在也然陰氣不能過越於陽陽氣不能制心令陰陽相薄故脉并絶斷而不相連續也脉浮爲陽氣薄陰故爲血瘕脉沉爲陰氣薄陽故爲膿聚而胕爛也陰陽皆壯下至陰陽若陰陽皆壯而相薄不已者漸下至陰陽之内爲大病矣陰陽者男子爲陽道女子爲陰器者以其盛受故也上合昭昭下合冥冥昭昭謂陽明之上冥冥謂至陰之内幽暗之所也

診決死生之期遂合歲首

謂下短期之旨

雷公曰請問短期黄帝不應

欲其復問而實之也

雷公復問黄帝曰在經論中

上古經之中也○新校正云按全元起本自雷公已下别爲一篇名四時病類

雷公曰請問短期黄帝曰冬三月之病病合於陽者至春正月脉有死徵皆歸出春

病合於陽謂前陰合陽而爲病者也雖正月脉有死徵陽已發生至王不死故出春三月而至夏初也

冬三月之病在理已盡草與柳葉皆殺

裏謂二陰腎之氣也然腎病而正月脉有死徵者以枯草盡青柳葉生出而皆死也理裏也已以也古用同

陰陽皆絕期在孟春

孟春之後而脉陰陽皆懸絕者期死不出正月○新校正云太素無春字

春三月之病曰陽殺

陽病不謂傷寒溫熱之病謂非時病熱脉洪盛數也然春三月中陽氣尚少未當全盛而反病熱脉應夏氣者經云脉不再見夏脉當洪數無陽外應故必死於夏至也以死於夏至陽氣殺物之時故云陽殺

陰陽皆絕期在草乾

若不陽病但陰陽之脉皆懸絶者死在於霜降草乾之時也

夏三月之病至陰不過十日謂熱病也脾熱病則五藏危土成數十故不過十日也

陰陽交期在溓水評熱病論曰温病而汗出輒復熱而脉躁疾不爲汗衰狂言不能食者病名曰陰陽交六月病暑陰陽復交二氣相持故乃死於立秋之候也○新校正云按全元起本云溓水者七月也建申水生於申陰陽逆也楊上善云溓廉檢切水静也七月水生時也

秋三月之病三陽俱起不治自已秋陽氣衰陰氣漸出陽不勝陰故自已也

陰陽交合者立不能坐坐不能起

三

以氣不由其正用故爾

三陽獨至期在石水

有陽無陰故云獨至也著至教論曰三陽獨至者是三陽并至由此則但有陽而無陰也石水者謂冬月水冰如石之時故云石水也火墓於戌冬陽氣微故石水而死也○新校正云詳石水之解本全元起之說王氏取之

二陰獨至期在盛水

亦所謂并至而無陽也盛水謂雨雪皆解爲水之時則正謂正月中氣也○新校正云按全元起本二陰作三陰

○方盛衰論篇第八十

新校正云按全元起本在第八卷

雷公請問氣之多少何者爲逆何者爲從黄帝

答曰陽從左陰從右

陽氣之多少者從左陰氣之多少者從右從者爲順反者爲逆陰陽應象大論曰左右者陰陽之道路也

老從上少從下

老者穀衰故從上爲順少者欲甚故從下爲順

是以春夏歸陽爲生歸秋冬爲死

歸秋冬謂反歸陰也歸陰則順殺伐之氣故也

反之則歸秋冬爲生

反之謂秋冬秋冬則歸陰爲生也

是以氣多少逆皆爲厥陽氣之多少反從右陰氣之多少反從左是爲不順故曰氣少多逆也如是從左從右之不順者皆爲厥厥謂氣逆故曰皆爲厥也

問曰有餘者厥耶言少之不順者爲逆有餘者則成厥逆之病乎

答曰一上不下寒厥到膝少者秋冬死老者秋冬生一經之氣厥逆上而陽氣不下者何以別之寒厥到膝是也四支者諸陽之本當温而反寒上故曰寒厥也秋冬謂歸陰歸陰則從右發生其病也少者以陽氣用事故秋冬死老者以陰氣用事故秋冬生○新校正云按楊上善云虛者厥也陽氣一上於頭不下於足

足脛虛故寒厥至膝

氣上不下頭痛巔疾

巔謂身之上巔疾則頭首之疾也

求陽不得求陰不審五部隔無徵若居曠野若伏空室綿綿乎屬不滿日

謂之陽乃脉似陰盛謂之陰又脉似陽盛故曰求陽不得求陰不審也五部謂五藏之部隔謂隔遠無徵無徵猶無可信驗也然求陽不得其熱求陰不審是寒五藏部分又隔遠無可信驗故曰求陽不得求陰不審五部隔無徵也夫如是者乃從氣久逆所作非由陰陽寒熱之氣所爲也若居曠野言心神散越若伏空室謂志意沉潛散越以氣逆而痛甚未正沉潛以痛定而復恐再來也綿綿乎謂動息微也身雖綿綿乎且存然其心所屬望

將不得終其盡日也故曰綿綿乎屬不滿日也○新校正云按太素云若伏空室爲陰陽之一有此五字疑此脫漏

是以少陰之厥令人妄夢其極至迷

氣之少有厥逆則令人妄爲夢寐其厥之盛極則令人夢至迷亂

三陽絶三陰微是爲少氣

三陽之脉懸絶三陰之診細微是爲少氣之候也○新校正云按太素云三陽絶氣是爲少氣

是以肺氣虛則使人夢見白物見人斬血籍籍

白物是象金之色也斬者金之用也籍籍夢死狀也

得其時則夢見兵戰

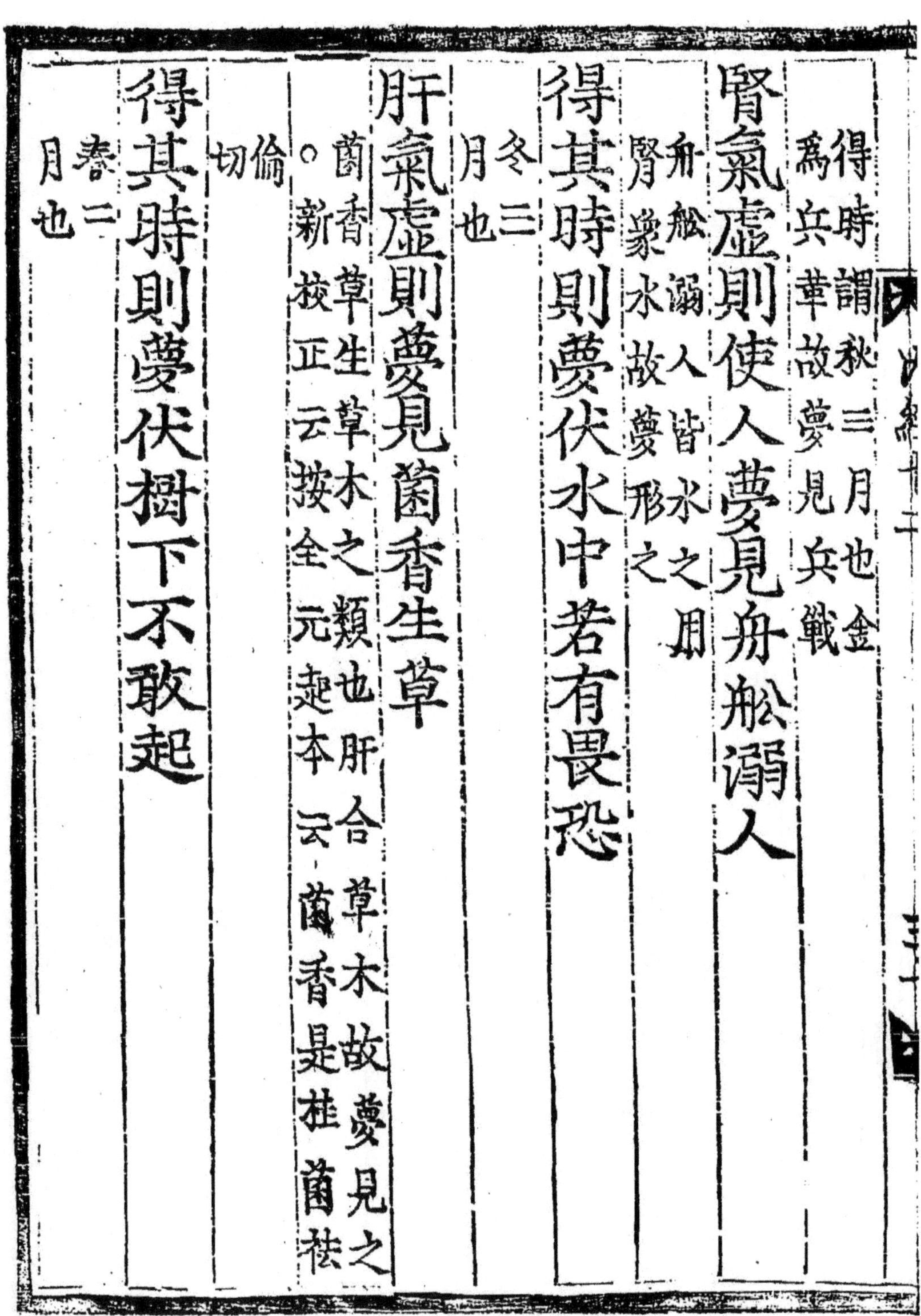

得時謂秋三月也金爲兵革故夢見兵戰

腎氣虛則使人夢見舟船溺人

舟船溺人皆水之用腎象水故夢形之

得其時則夢伏水中若有畏恐

冬三月也

肝氣虛則夢見菌香生草

菌香草生草木之類也肝合草木故夢見之○新校正云按全元起本云菌香是桂菌袪倫切

得其時則夢伏樹下不敢起

春三月也

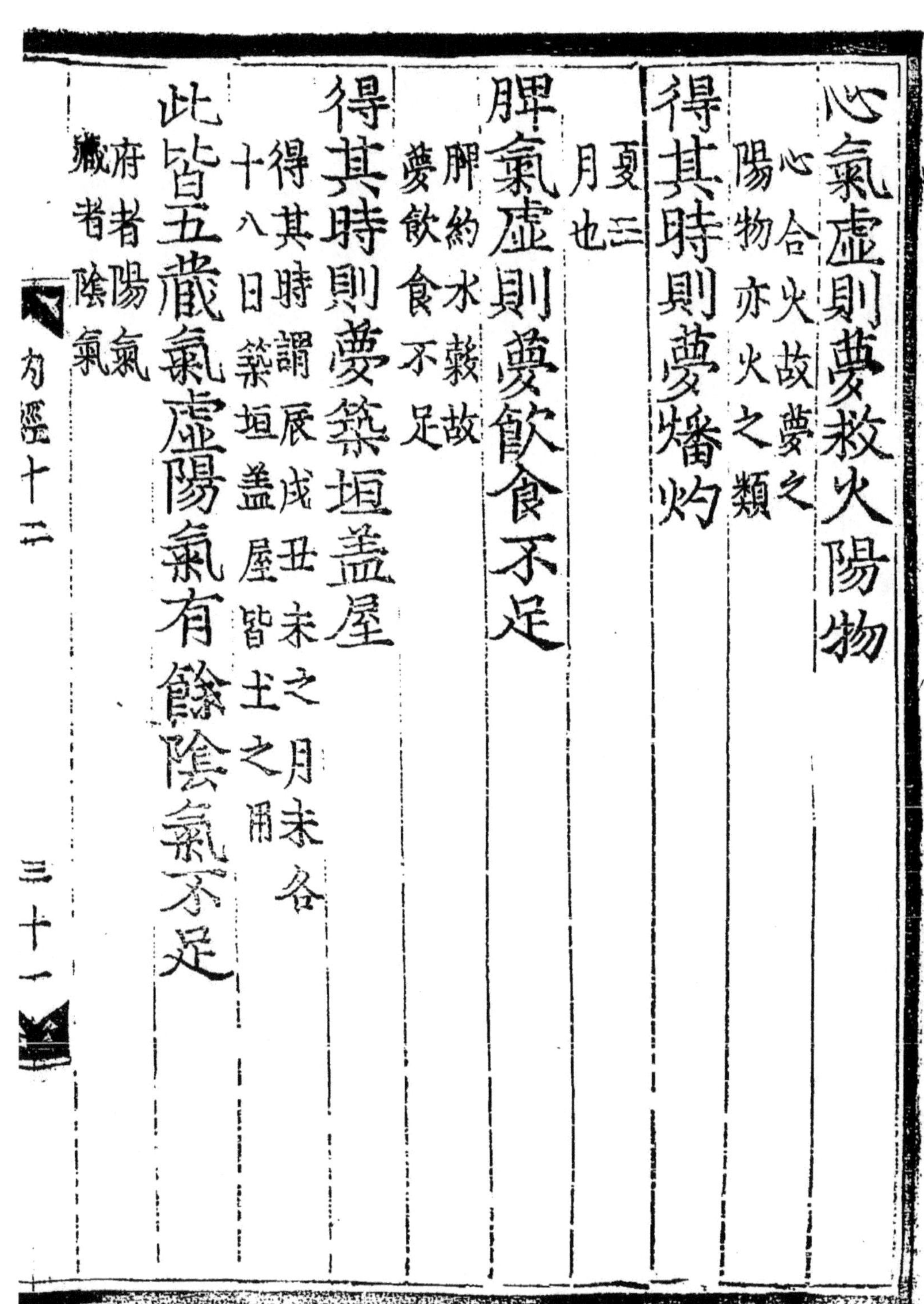

心氣虚則夢救火陽物

心合火故夢之陽物亦火之類

得其時則夢燔灼

夏三月也

脾氣虚則夢飲食不足

脾納水穀故夢飲食不足

得其時則夢築垣蓋屋

得其時謂辰戌丑未之月各十八日築垣蓋屋皆土之用

此皆五藏氣虚陽氣有餘陰氣不足

府者陽氣藏者陰氣

合之五診調之陰陽以在經脉靈樞經曰備有調陰陽合五診故引之曰以在經脉經脉則靈樞經之篇目也

診有十度度人脉度藏度肉度筋度俞度度各有其二故二五爲十以量度

陰陽氣盡人病自具診備盡陰陽虛盛之理則人病自具知之

脉動無常散陰頗陽脉脫不具診無常行診必上下度民君卿脉動無常數者是陰散而陽頗調理也若脉診脫略而不具備者無以常行之診而察候之則當度量民及君卿三者調養之殊異爾何者憂樂苦分不同秩故也

受師不卒使術不明不察逆從是爲妄行持雌失雄棄陰附陽不知并合診故不明皆謂學不該備

傳之後世反論自章章露也以不明而授與人反古之迹自然章露也

至陰虛天氣絶至陽盛地氣不足至陰虛天氣絶而不降至陽盛地氣微而不升是所謂不交通也至謂至盛也

陰陽並交至人之所行交謂交通也惟聖人乃能調理使行也

陰陽並交者陽氣先至陰氣後至

陰陽之氣並行而交通於二處者則當陽氣先至陰氣後至何者陽速而陰遲也靈樞經曰所謂交通者並行一數也由此則二氣亦交會於一處也

是以聖人持診之道先後陰陽而持之奇恒之勢乃六十首診合微之事追陰陽之變章五中之情其中之論取虛實之要定五度之事知此乃是以診

奇恒勢六十首今世不傳

是以切陰不得陽診消亡得陽不得陰守學不湛知左不知右知右不知左知上不知下知先不知後故治不久知醜知善知病知不病知高

具

知下知坐知起知行知止用之有診診道乃其

萬世不殆聖人持診之明識也

起所有餘知所不足寳命全形論曰內外相得無以形先言起已身之有餘則當知病人之不足也

度事上下脉事因格度事上下之宜脉事因而至於微妙矣格至也

是以形弱氣虛死中外俱不足也

形氣有餘脉氣不足死

藏衰故脉不足也

脉氣有餘形氣不足生

藏盛故脉氣有餘

是以診有大方坐起有常

坐起有常則息力調適故診之方法必先用之

出入有行以轉神明

言所以貴坐起有常者何以出入行運皆神明隨轉也

必清必静上觀下觀司八正邪别五中部按脉動静

上觀謂氣色下觀謂形氣也八正謂八節之正候五中謂五藏之部分然後按寸尺之動

靜而定死生矣

循尺滑濇寒溫之意視其大小合之病能逆從以得復知病名診可十全不失人情故診之或視息視意故不失條理

數息之長短候脈之至數故診之法或視喘息也知息合脈病處必知聖人察候條理斯皆合也

道甚明察故能長久不知此道失經絕理亡言妄期此謂失道

謂失精微至妙之道也

○解精微論篇第八十一

黄帝在明堂雷公請曰臣授業傳之行教以經論從容形法陰陽刺灸湯藥所滋行治有賢不肖未必能十全

新校正云按全元起本在第八卷名方論解

若先言悲哀喜怒燥濕寒暑陰陽婦女請問其所以然者卑賤富貴人之形體所從群下通使臨事以適道術謹聞命矣

言所自授用可十全然傳所教習未能必爾也賢謂心明智遠不肖謂擁迷不法

請問有毚愚仆漏之問不在經者欲聞其狀

皆以先聞聖旨猶未究其意端

言不智校見頻問多也漏脫漏也謂經有所未解者也毚狡也愚不智見也什猶頻也猶不漸也○新校正云按全元起本什作likely

帝曰大矣

人之所大要也

公請問哭泣而淚不出者若出而少涕其故何也

帝曰在經有也

言何藏之不爲而致是乎

復問不知水所從生涕所從出也

靈樞經有悲哀涕泣之義

復問重問也欲知水涕所生之由也

帝曰若問此者無益於治也工之所知道之所生也

言涕水者皆道氣之所生問之何也

夫心者五藏之專精也

專任也言五藏之精氣任心之所使以為神明之府是故能焉

目者其竅也

神內守明外鑑故目其竅也

華色者其榮也

華色其神明之外飾

是以人有德也則氣和於目有亡憂知於色德者道之用人之生也老子曰道生之德畜之氣者生之主神之舍也天布德地化氣故人因之以生也氣和則神安神安則外鑑明矣氣不和則神不守神不守則外榮減矣故日人有德也氣和於目有亡也憂知於色也○新校正云按太素德作得

是以悲哀則泣下泣下水所由生水宗者積水也新校正云按甲乙經水宗作衆精

積水者至陰也至陰者腎之精也宗精之水所以不出者是精持之也輔之裹之故水不行也

夫水之精爲志火之精爲神水火相感神志俱

悲是以目之水生也

目爲上液之道故水火相感神志俱悲水液上行乃生於目

故諺言曰心悲名曰志悲志與心精共湊於目也

水火相感故曰心悲名曰志悲神志俱昇故志與心神共奔湊於目麄句切

是以俱悲則神氣傳於心精上不傳於志而志獨悲故泣出也泣涕者腦也腦者陰也

五藏别論以腦爲地氣所生皆藏於陰而象於地故言腦者陰陽上爍也爍則銷也○新校正云按全元起本及甲乙經太素陰作陽

髓者骨之充也

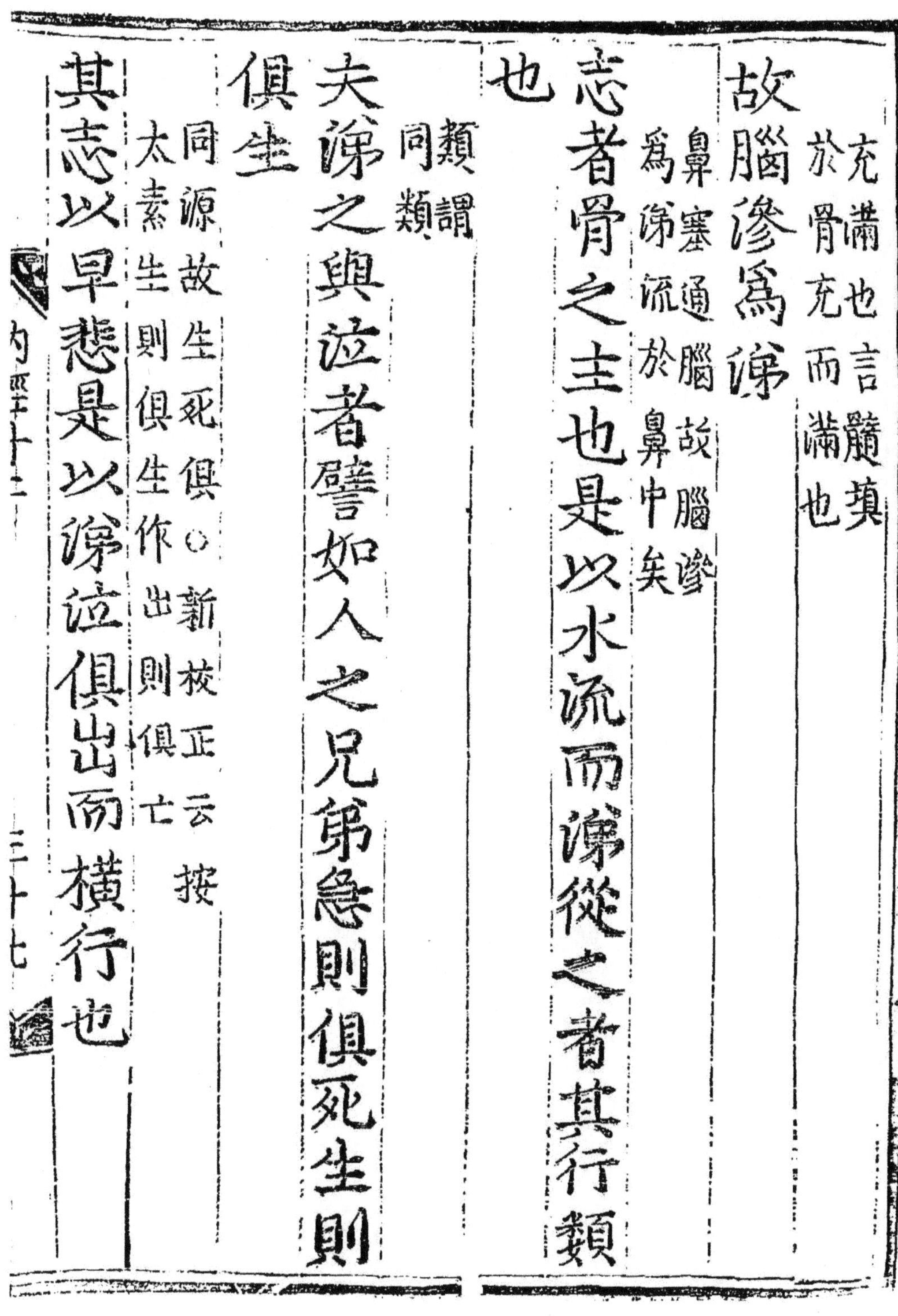

充滿也言髓填於骨充而滿也

故腦滲爲涕鼻塞通腦故腦滲爲涕流於鼻中矣

志者骨之主也是以水流而涕從之者其行類也類謂同類

夫涕之與泣者譬如人之兄弟急則俱死生則俱生同源故生死俱○新校正云按太素生則俱生作出則俱亡

其志以早悲是以涕泣俱出而横行也

行恐當爲流

夫人涕泣俱出而相從者所屬之類也

所屬謂於腦也何者上文云涕泣者腦也

雷公曰大矣請問人哭泣而淚不出者若出而少涕不從之何也

惟其所屬同而行出異也

帝曰夫泣不出者哭不悲也不泣者神不慈也神不慈則志不悲陰陽相持泣安能獨來

泣不出者謂淚也不泣者泣謂哭也水之精爲志火之精爲神水爲陰火爲陽故曰陰陽相持泣安能獨來也

夫志悲者惋惋則冲陰冲陰則志去目志去則神不守精精神去目涕泣出也

惋謂內爍也冲猶升也神志相感泣由是生故內爍則陽氣升於陰也陰腦也去目謂陰不守目也志去於目故神亦浮游失志去目則光無內照神失守則精不外明故曰精神去目涕泣出也

且子獨不誦不念夫經言乎厥則目無所見夫人厥則陽氣并於上陰氣并於下

并謂各并於本位也

陽并於上則火獨光也陰并於下則足寒足寒則脹也夫一水不勝五火故目眥盲

皆視也一水目也五火謂五藏之厥陽也○新校正云按甲乙經無皆字

是以氣衝風泣下而不止夫風之中目也陽氣內守於精是火氣燔目故見風則泣下也風迫陽伏不發故內燔也有以比之夫火疾風生乃能雨此之類也故陽幷則火獨光盛於上不明於下是故目者陽之所生系於藏故陰陽和則精明也陽厥則光不上陰厥則足冷而脹也言一水不勝五火者是手足之陽爲五火下一陰者肝之氣也衝風泣下而不止者言風之中於目也是陽氣內守於精故陽氣盛而火氣燔於目風與熱交故泣下是故火疾而風生乃能雨以陽火之熱而風生於泣以此譬之類也○新校正云按甲乙經無火字太素云天之疾風乃能雨無生字

新刊補註釋文黄帝内經素問卷之十二終

萬曆四十三年二月　日内醫院奉　教刊行

監校官通訓大夫行内醫院直長臣李希憲

通訓大夫行内醫院直長臣尹知微